MOEWIG

Freude am eigenen Garten

Joachim Breschke

Gemüse

Feingemüse. Salate. Kräuter.
Zubereiten und Konservieren.

MOEWIG

Umschlagfotos:
Carl Sperling & Co., Pflanzenzüchter, Lüneburg
(Kirschtomate ›Sweet 100‹, Stangenbohnen ›Butler‹,
Zucchini ›Gold Rush‹, Kopfsalat ›Mirena‹)

Fotos im Innenteil:
Carl Sperling & Co., Pflanzenzüchter, Lüneburg

Umschlagentwurf und -gestaltung: Werbeagentur Zeuner, Ettlingen
Printed in Germany 1996
Druck und Bindung: Elsnerdruck, Berlin
ISBN 3-8118-7396-2 (60er-Kassette)

Inhalt

Einleitung

Im privaten Garten wird wieder mehr Gemüse angebaut. Allerdings sieht der Nutzgarten heute ganz anders aus als früher, er ist nicht mehr abgegrenzt, in schnurgerade Beete eingeteilt. Dafür reicht der Platz nicht aus. Die Beete mit Feingemüsen schließen unmittelbar an Rabatten an, Stangenbohnen verlängern die Sichtschutzwand, es geht alles mehr ineinander über. Selbstverständlich wird kein lagerfähiges Grobgemüse kultiviert, das man zu jeder Jahreszeit für geringe Preise überall haben kann. Vielmehr stehen im Hausgarten Blatt- und Feingemüse, die um so vitaminreicher und wertvoller sind, je kürzer der Weg bis zur Küche ist. Von jeder Art wird in Folgen jeweils nur so viel angebaut, wie während der Reifezeit verbraucht werden kann. Wenn zu jedem dieser Termine die gewünschte Sorte an Jungpflanzen vorhanden sein soll, wird die eigene Jungpflanzenanzucht unvermeidlich; denn kein Gartenbaubetrieb kann auf alle Sonderwünsche eingerichtet sein.

Um bei jeder Folgesaat die richtigen Aussaatmengen und den Pflanzenbedarf zu ermitteln, muß man wissen, was die Familie üblicherweise tatsächlich verbraucht. Es gibt Tabellen, die besagen, daß Kinder täglich 100 g Gemüse essen sollten, Jugendliche und Erwachsene die doppelte Menge. Dabei rechnet man auf 100 g geputztes Gemüse 125 g ungeputztes, die Lagerverluste betragen durchschnittlich 10 Prozent. Die einzelnen Gemüsearten bestreiten im Durchschnitt 10 bis 15 Mahlzeiten pro Jahr, selten liegt ihr Anteil so hoch wie bei Spinat (20), Bohnen (30) sowie Möhren, Kopfsalat und Sauerkraut (40).

Daraus ergibt sich pro Person ein Jahresbedarf von 7,3 kg Zwiebeln, 7 kg Bohnen, 6 kg Erbsen, 5,5 kg Spinat, 4,7 kg Grünkohl, 4,2 kg Blumenkohl, 3,6 kg Kohlrabi, 3,2 kg Gurken, 2,6 kg Wirsing, 2,4 kg Tomaten, 2,3 kg Rote Bete, 2 kg Rosenkohl sowie jeweils 1,5 kg Radieschen und Rettiche.

Eine Verwertungsperson braucht bei mittleren Erträgen rund 55 m^2 Gemüseanbaufläche, die sich wie folgt verteilt: Zwiebeln 2 m^2; Buschbohnen 7; Erbsen 6; Spinat 2,7; Grünkohl 2,4; Blumenkohl 1,4; Kohlrabi 1,8; Gurken 1,3; Wirsing 0,5; Tomaten 1; Rote Rüben 0,7; Rosenkohl 2,5; Radieschen und Rettiche 1 m^2.

Blattgemüse

Vitamine sind für die Gesundheit lebenswichtig. Sie können im Körper nicht gespeichert werden, sondern müssen täglich in kleinen, aber unentbehrlichen Dosen aufgenommen werden. Deshalb braucht man zu jeder Jahreszeit frisches Grün, besonders in den Wintermonaten. Denn einige der wichtigsten Vitamine verflüchtigen sich so rasch, daß schon wenige Stunden nach der Ernte nur noch minimale Reste im pflanzlichen Grün vorhanden sind.
Glücklicherweise ist der Gartenbesitzer in der Lage, diesen Bedarf zwölf Monate hindurch auf abwechslungsreiche Weise zu decken. Das hat sich auf die Eßgewohnheiten ausgewirkt: In zunehmendem Maße wird grüner Salat auch als Vorspeise und als Beilage zum Abendbrot gegessen. Nach einer Hochrechnung der CMA (Centrale Marketing-Gesellschaft der deutschen Agrarwirtschaft) werden pro Jahr rund 250 Millionen Stück Kopfsalat und 40 Millionen Endivien- und Eissalate gekauft, mit zunehmender Tendenz. Vor allem bei jungen Leuten finden die vielen neuen Salate großen Zuspruch.
Zu den reinen Blattgemüsen, deren Blattspreiten gegessen werden, zählen wir auch einige wenige Gemüsearten, von denen die Blattstiele oder Jungtriebe verzehrt werden, denn sie gehören zum Feinsten der neuen deutschen Kochkunst.

Bindesalat. Sommerendivie sät man im Februar oder März in Kistchen und pikiert, wenn die Setzlinge 5 cm lang sind. Im April und Mai wird im Abstand von 30 bis 35 cm mal 25 cm gepflanzt. Oder man sät von April bis Juni direkt aufs Freilandbeet und pikiert 4 Wochen später, wenn die Samen nicht direkt auf Abstand von 35 mal 25 cm gelegt wurden. Wasser und 25 bis 30 g Volldünger auf 1 m^2 tragen zur guten Ernte bei. Sorten, die sich nicht selbst schließen, werden im Herbst bei trockenem Wetter zusammengebunden. Geerntet wird bis November, was dann noch auf dem Land ist, muß man frostgeschützt einschlagen.

Folgende Sorten haben sich im Sommer besonders bewährt, da sie mehr Hitze vertragen: »Romance«, »Barcarole«, »Apollo«, »Valmaine« und »Romea«. Sie können von April bis in den Juli hinein gepflanzt werden. Am besten ist »Kasseler« oder »Kasseler Strünkchen«, weil die Strünke mit verzehrt werden, mit großen, gelbgrünen, selbstschließenden Köpfen, die als einzige in der Bundessortenliste steht. Für den Sommer geeignet, robust und dunkelgrün ist »Parris Island cos« mit schwerem Kopf, der ziemlich spät fertig wird. Vom Frühjahr bis zum Herbst bewährt sich der neue, rotblättrige »Romana«, bis zu 35 cm hoch und 15 cm schmal, dicht geschlossen und hervorragend im Geschmack. Hoch sind auch die Köpfe von »Verde degli Ortolani«, der von April bis Juni mit 30 cm Reihenabstand und 25 cm in der Reihe ins Freiland gesät wird.

Brennessel. Wegen ihrer wertvollen Inhaltsstoffe wird die Brennessel seit langem als Nahrungsmittel sowie als Gewürz- und Heilkraut gesammelt. Sie enthält sehr viel Eisen und Chlorophyll, einen hohen Vitamin-C-Anteil und ist eiweißreich. Außerdem verfügt sie über Gerbsäure, Sekretin, Vitamin A, Kalium, Kalziumcarbonat, Kieselsäure, Eisen, Histamin, Acetylcholin, Ameisen- und Essigsäure.

Ihres hohen Vitamin-C- und Eisengehaltes wegen ist die Nessel als Nahrung bekömmlich und wertvoll. Möchte man aus den Nesselblättern Salat zubereiten, so müssen sie zuvor mit heißem Wasser kurz abgespült werden, damit sie ihre Brennwirkung

verlieren. Außer den Blättern und den jungen Pflanzen kann ebenfalls die Wurzel frisch und getrocknet verwendet werden.
Wir unterscheiden grundsätzlich zwei Arten: die Große Brennnessel *(Urtica dioica)* und die Kleine Brennessel *(Urtica urens)*. Erstere ist mehrjährig und wird über 1 m hoch. Letztere dagegen hat einen einjährigen Zyklus und wird nur etwa 40 cm hoch. Beide Arten sehen sich äußerlich sehr ähnlich.
Die Große Brennessel vermehrt sich vorwiegend über ihren kriechenden Wurzelstock, die Kleine nur mit Samen. Man kann mit ungefähr 2000 Samenkörnern pro Gramm rechnen. Man wählt einen gut mit Nährstoffen versorgten, mittelschweren, humusreichen Boden. Ein leichter Kalkgehalt von über 7,2 pH ist von Vorteil. Es empfiehlt sich, die Aussaat mit 40 g Saatgut auf 1 m^2 erst im Frühsommer vorzunehmen, damit die Brennesseln optimal auflaufen. Die Reihensaat darf nicht zu tief liegen, ein Reihenabstand von 15 bis 20 cm sollte eingehalten werden. Man sät die Kleine Nessel, wenn das Beet im nächsten Jahr mit einer anderen Kultur belegt werden soll. Sonst kann die starke und ausdauernde, Ausläufer bildende Große Nessel verwendet werden.
Zur Düngung benötigt man etwa 100 g/m^2 eines N-betonten Volldüngers. Dieser wird zur Hälfte vor der Saat, der Rest etwa 4 Wochen nach dem Auflaufen gestreut. Nach jedem Schnitt ist mit 30 g/m^2 Stickstoff nachzudüngen. Pflanzenschutz ist nicht notwendig, hingegen ist das regelmäßige Hacken zwischen den Reihen nicht zu vernachlässigen.
Es darf nicht zu tief geschnitten werden, damit bei einer jungen Anlage der Kleinen Nessel nachgetrieben wird. In einem normalen Jahr sind ohne weiteres 4 Schnitte mit einem durchschnittlichen Ertrag von etwa 1 kg von 1 m^2 Blatt- und Stengelmasse möglich.
Geerntet werden die jungen Triebspitzen und Blätter von Mai bis Juni, vor der Blüte. Junge Pflanzen kann man ohne Hand-

schuhe pflücken, da die Brennfähigkeit erst später auftritt. Ältere Pflanzen sind während und nach der Blüte bitter.

Brennesseln können wie Spinat zubereitet oder mit anderen Wildpflanzen, Melde und Sauerampfer, gemischt werden. In ländlichen Gegenden gilt die Brennesselsuppe als Delikatesse: eine Bouillon mit gerösteten Brotwürfeln, einem verlorenen Ei sowie Spinat- und Brennesselblättern. Junge Brennesselblätter können fein gehackt unter Quark gemischt werden. Etwas ältere Blätter brüht man vorher kurz ab.

3 Teelöffel frische oder getrocknete Brennesselblätter, die man mit 2 Tassen Wasser überbrüht und 10 Minuten ziehen läßt, ergeben einen heilsamen Tee. Er wirkt entschlackend, blutreinigend, harntreibend und gegen die Verschleimung von Brust und Lunge. Als Frühjahrskur verwendet man den Saft von frischen, ausgepreßten Blättern.

Brunnenkresse. Im Gegensatz zur Gartenkresse ist die Pflege der Brunnenkresse aufwendiger. Während die normale Kresse nur zu Anfang kräftig gewässert werden muß, verlangt die Brunnenkresse während der ganzen Kulturzeit reichlich Wasser. Am besten ist ein kleiner Teich oder fließendes Wasser von einer Temperatur um 12 Grad Celsius. Damit die Blätter kräftig grünes Kraut bilden, wird mit 1 g Volldünger auf 1 l Wasser gedüngt.

Die Setzlinge werden im März unter Glas vorgezogen. Der Samen wird gleichmäßig feucht gehalten, und sobald die Pflanzen groß genug sind, nimmt man die schwächsten heraus und läßt die kräftigsten stehen. Wer Stecklinge schneiden möchte, kauft sich ein paar Pflänzchen, schneidet sie in 10 cm lange Stücke und stellt sie in Wasser, wo sie bald neue Wurzeln bilden.

Bei Beetkultur muß man einen 25 cm breiten Graben ausheben und die Erde mit Kompost vermischen. Leichter ist die Kultur

in einer Steige, die man mit einer schwarzen, mit Löchern versehenen Folie auslegt und mit Aussaaterde füllt. Da setzt man die Stecklinge hinein und stellt die Kiste an einem halbschattigen Gartenplatz auf.
Brunnenkresse wächst in ganz Europa verbreitet an Quellen und Bächen und kann dort geerntet werden. Genau wie ihre Verwandte wird sie zu Salaten, Suppen, Soßen oder als Brotaufstrich verwendet. Sie enthält außerdem viel Vitamin C und Karotin.

Chicoree. Der Chicoree ist mit der heimischen Wegwarte und dem Löwenzahn verwandt, einem anderen Mitglied der Familie *Cichoriaceae*. Als Gemüse wird er in der feinen Küche als Salat oder Beilage zubereitet. Es ist ein Wintergemüse, das getrieben von Oktober bis April zur Verfügung steht.
Die bekannteste Sorte ist »Brüsseler Witloof«, verbessert auch als »Edelloof« im Angebot, eine späte Variante. Früher reifen die »Megro«-Sorten, »Deldra« und »Extrema«. Von den »Wolfera«-Sorten gibt es frühe wie »Primo« und »Secundo«, mittelfrühe wie »Tertio« und späte wie »Megro spät«, »Delvo«, »Ivorine« und »Zoom«. Ohne Deckerde bringen »Mitado«, »Flash«, »Barola«, »Normato«, »Terosa« und »Videna« feste, große Köpfe.
Die Wurzeln brauchen lockeren, tiefgründigen Gartenboden; im Mai wird im Abstand von 40 bis 50 cm, etwa 3 cm tief und nicht zu dicht ausgesät, bevor mit lockerer Erde abgedeckt wird. Im weiteren Verlauf muß man den Boden gelegentlich lockern und das Unkraut kleinhalten. Gedüngt wird mit 40 g Volldünger vor der Aussaat und 40 g um Mitte Juli auf 1 m^2. Regnet es länger nicht, wird beregnet.
Im Laufe des Sommers bilden die Pflanzen dicke Rübenwurzeln, in denen die Nährstoffe zur Treiberei eingelagert sind. Im Herbst schneidet man die grünen Blätter ab; Mitte November

erntet man die Wurzeln vorsichtig, putzt sie, ohne sie dabei zu beschädigen, und bringt sie in den Keller. Von Blattresten und verletzten Wurzelteilen müssen sie gesäubert werden, sonst kann es faulen. Auf keinen Fall dürfen die Rüben austrocknen.
Zum Treiben stellt man die Rüben dicht an dicht aufrecht, mit den Rübenköpfen nach oben auf. Wenn der Keller zu trocken ist, gießt man leicht an. Zuviel Nässe ist jedoch zu vermeiden. Danach deckt man das Ganze mit einer 15 cm hohen Schicht mäßig feuchter, leichter, sandiger Erde ab. Auf die Erde legt man zusätzlich feuchtes Stroh, Holzwolle oder Folie. Bei Temperaturen von 18 Grad Celsius sind die Sprosse in 3 bis 4 Wochen etwa 15 bis 20 cm lang.
Senkt man die Temperatur auf ungefähr 10 Grad ab, läßt sich die Erntezeit bis in das Frühjahr hinein verlängern. Bei der Ernte schneidet man die Sprosse so tief am Rübenkopf ab, daß die Blätter beisammen bleiben, nur die äußeren entfernt man.

Eissalat. Sein Kopf ähnelt nicht einem Salat-, sondern eher einem Kohlkopf: Die Blätter sind fester, ein wenig herb, dicht ineinander verwachsen, stark geknittert und bis zu 1000 g schwer. Die bekannteste Sorte ist »Laibacher Eis« mit Selektionen wie »Eiswunder« mit goldgelben, am Blattrand bräunlichen, festen, großen Köpfen. Weitere Standardsorten sind »Great Lakes«, »Pennlakes«, »Avon crisp« und »Favourite«, die sich für den Anbau im Frühjahr und Herbst eignen. Der schoßfeste »Nambucco« hält auch den Sommer über draußen aus.
Eis- oder Krachsalat sät man Anfang Februar unter Glas aus. Sind die Jungpflanzen groß genug, muß auf etwa 4 mal 4 cm pikiert werden. Sobald der Boden draußen offen ist, etwa Mitte März/Anfang April, wird auf Reihenabstand von 30 cm ausgepflanzt. Direkt ins Freiland kann Ende März/Anfang April gesät werden, die kräftigsten Jungpflanzen bleiben stehen. Einen Rei-

henabstand von 40 cm brauchen die Köpfe im Sommer. Die letzte Aussaat erfolgt im Juli.

Selbst im November kann noch Krachsalat geerntet werden, wenn man im August wie bei der Frühjahrskultur im Gewächshaus aussät und Mitte bis Ende September pflanzt. Über Nacht deckt man die Pflanzen mit einem Vlies ab. Gepflanzt wird in einen nicht zu fetten, gedüngten Boden, und während der Wachstumszeit wird mäßig, aber regelmäßig gewässert. Vor dem Pflanzen gibt man 25 g Volldünger auf 1 m^2 in den Boden.

Roter Eissalat: Diese rote Spielart ist überaus dekorativ, außen dunkelrot und innen kräftig grün gefärbt. Die Blätter von »Red Sails« sind zart und weich, dennoch knackig und frisch. Intensiv rot sind die neue Sorte »Rosa« mit starken, glatten Blättern und »Rouge grenobloise« (»Winnetou«), eine Sorte für Feinschmecker. Die malerisch dunkelroten Blätter mit grün getuschten Schatten sind von köstlichem Geschmack, knackig, aber keineswegs hart, geeignet für den Anbau im Frühjahr und Herbst.

Die Pflanzen bilden an einem sonnigen Standort große, locker geschlossene Köpfe, die erst spät anfangen zu schießen. Ab März wird in Aussaatschalen auf der Fensterbank oder ab April bis Juli ins Freiland in Reihen ausgesät. Nach 7 bis 12 Tagen bei 8 bis 15 Grad Celsius sind die Samen gekeimt. Wenn das zweite Folgeblatt erscheint, sollten die Pflanzen in Torftöpfchen pikiert werden.

Bei Direktaussaat im Freiland wird auf den späteren Pflanzabstand von 30 mal 35 cm verzogen. Zweckmäßig ist eine Düngung vor der Aussaat und eine weitere während der Kultur. Man kann die Blätter nach und nach pflücken.

Crispsalat: Verwandt mit dem Eissalat ist der Crispsalat, eine Züchtung aus Holland. Er wird auf dem Markt von November bis April angeboten. Erkennen kann man ihn an seinem kleinen, lockeren, runden Kopf und den gekräuselten Blättern. Während sich die beiden Salate nicht im Geschmack und Nährwert unterscheiden, tun sie es aber beim Kopfgewicht. So bringt der Crispsalat pro Kopf nur etwa 100 bis 250 g auf die Waage, während sich von einem Kopf Eissalat zwei Familien ernähren können.

Endivie. Zu den typischen Herbst- und Wintersalaten zählen die dauergewellten Endivien – eine gute Nachkultur auf Gemüsebeeten, die früh geräumt werden. Ausgesät wird unter Glas im Juni oder Juli und gepflanzt 4 bis 5 Wochen später ins Freiland mit einem Abstand zwischen den Reihen von 40 bis 45 cm und in der Reihe von 30 bis 40 cm.
Am weitesten verbreitet ist »Bubikopf«, auch bekannt als »Grüner Selbstbleichender«, mit zahlreichen Stämmen wie »Silvia«, »Nr. 5« und »Malan«. Sie alle bilden im frühen Herbst schnell große, feste, vollherzige Köpfe. Großkopfig, grün und selbstbleichend ist »Golda«, ungefährdet in nassen Herbstwochen. Beliebter sind neuerdings die krausen oder Frisee-Sorten wie »Green Curled« oder »Dabis«, fein gekraust, dicht gefüllt mit viel Gelb im Herzen vom Frühsommer bis zum Spätherbst, wetterfest und sehr ertragreich. Besonders fein gekräuselt ist »Très fine maraichère«, auch als »Wagners Goldherz« für frühe Sätze im Handel. Robuster sind die grünen »Escariol«-Typen und die »Große Grüne Krause«.
Der Boden muß locker bis mittelschwer und gut mit Humus versorgt sein. Während der Wachstumszeit werden die Reihen von Unkraut freigehalten, für regelmäßige Wassergaben muß gesorgt sein. Geerntet wird, sobald die Rosetten gut ausgebildet sind; das kann im September/Oktober, aber auch erst im November sein. Im Gegensatz zum milden Kopfsalat haben Endivien einen etwas bitteren, aber herzhaft würzigen Geschmack. Je grüner sie sind, um so mehr Bitterstoffe enthalten sie. Damit sie nicht zu bitter werden, bindet man die Kopfblätter der meisten Sorten zwei Wochen vor dem Schnitt oben

zusammen. Dadurch dringt weniger Licht in die Kopfmitte, und die Blätter werden gelb.
Gebleicht wird auch unter einer schwarzen Folie, wie sie ebenfalls als Bodendeckung oder zum Schattieren benutzt wird. Je nach Wetterlage wird die Folie über die Pflanzen gelegt und am Rande mit Steinen oder Erde beschwert. Darunter bleichen die Blätter, und zwar auch die äußeren, schneller und besser als beim Zubinden. Wenn es anfängt frostig zu werden, kann man die nur 0,1 mm starke Folie nicht mehr lose auf die Köpfe legen, sonst erfrieren die Blätter, auf denen sie aufliegt. Schlägt man ein paar Latten in den Boden und breitet die Abdeckung darüber, ist der Endiviensalat vor Feuchtigkeit, Frost und Licht sicher.

Feldsalat. Rapunzel- oder Ackersalat ist ein robustes Ackerunkraut, das auf dem Markt teurer ist als das beste Rinderfilet. Deshalb, und weil er so gut schmeckt und gesundheitlich so gut tut, sollte er in keinem Gemüsegarten fehlen. Seine Blätter sind frosthart, in schneelosen, milden Wintern durchgehend zu ernten. Bekannte Sorten sind »Dunkelgrüner Vollherziger« mit kleinen Blättern in dichter Rosette; »Deutscher«, dessen hellgrüne Blätter schnell lang und schmal wachsen; »Etampes« oder »Bonner Markt« mit großen, dicken, dunkelgrünen Blättern; »Holländischer Breitblättriger« und »Louviers« sind beide breitblättrig.
Feldsalat stellt keine Ansprüche, gedeiht in jedem normalen Gartenboden, der nicht schwer, kalt und naß ist. Außerdem braucht er reichlich Platz für eine gute Entwicklung. Damit man mit der Hacke zwischen die Reihen kommt, sind 20 cm Abstand einzuhalten. Nach der Aussaat gießt man kräftig an, hält die Beete weiterhin feucht und das Unkraut klein. Damit man über Winter an die Beete herankommt, wird mit einer dünnen Lage Fichtenreisig abgedeckt.

Kerbel. Die einjährige Pflanze wird 60 cm hoch und geht sehr schnell in Samen, so daß sie unbrauchbar wird. Deshalb ist es besser, alle 14 Tage neu zu säen. Viel hat sich in der Züchtung bisher nicht getan. Es gibt nur glattblättrige Spielarten, die als »Einfacher« oder »Gewöhnlicher« gehandelt werden, neben den Sorten »Krauser« und »Extra Krauser«.
Kerbel stellt keine Ansprüche in gutgelockerten, humosen und ausreichend feuchten Böden. Eine Volldüngergabe von 40 g auf 1 m^2 hilft wie regelmäßiges Jäten und ausreichend Wasser.
Hat sich der Boden genügend erwärmt, kann die erste Saat im März oder April ins Freiland, mit einem Reihenabstand von 8 bis 10 cm. Man rechnet für 1 m^2 Gartenbeet ungefähr 2 g Samen. Die ersten Keimlinge zeigen sich nach 14 Tagen, nach 6 bis 8 Wochen kann zum ersten Mal geschnitten werden. Während die früh gesäten Pflänzchen einen sonnigen Gartenplatz bekommen, sollten alle weiteren Folgesaaten in den Sommermonaten einen halbschattigen Platz erhalten. So hat man für den Tomatensalat, für Soßen und Suppen immer frisches Grün zur Hand.

Kopfsalat. In dem riesigen Sortiment gibt es neue Freilandsorten für jede Jahreszeit, die von der Tageslänge unabhängig geworden sind, also auch im Sommer nicht schießen, so »Benita«, »Capitan«, die Spitzensorte »Cindy«, »Inka« (intensiver rot als der »Braune Trotzkopf«), »Mondian«, »Sabine« und »Soraya«.
Ausgesät wird bei normaler Witterung unter Glas ins warm gepackte Frühbeet mit etwa 6 g Saatgut auf 1 m^2. Damit sich gedrungene und gesunde Jungpflanzen entwickeln, müssen sie hell, luftig und verhältnismäßig kühl aufgestellt werden, so daß 12 Grad Celsius nur bei Sonnenschein gelegentlich überschritten werden dürfen. Für die frühesten Sätze ist es wichtig, daß die Jungpflanzen eingetopft werden, damit sich die Pflanzen nach dem Setzen zügig entwickeln und früher erntereif sind, wobei

das durchschnittliche Kopfgewicht das pikierter Pflanzen übertrifft. Falls der Wurzelballen nicht mit Torf- oder Erdtopf in den Boden kommt, muß er behutsam aus dem Topf geholt werden.
Portionssalat: Gerade genug für eine Person liefern die kleinen, festen Köpfe von »Sucrine«. Ihr Platzbedarf ist gering. Die Pflanzen können im Abstand von 15 mal 20 cm gepflanzt werden. Die Blätter sind substanzreich und zart, die Blattrippen saftig und knusprig. Der Salat hat »Biß«, ist angenehm süß und hält sich im Kühlschrank mehrere Tage. Ein idealer Salat für kleine Gärten. Ausgesät wird von Februar bis April unter Glas oder ab Ende März bis Mitte Juli ins Freie, dünn in Reihen, später wird verpflanzt oder vereinzelt. Die Keimdauer beträgt 5 bis 14 Tage bei 10 bis 20 Grad Celsius. Kopfsalat erntet man immer nur so viel, wie man direkt verbraucht. Einzelne Blätter kann man gewaschen und abgetropft in einem luftdicht verschlossenen Behälter bis zu acht Tagen im Kühlschrank aufbewahren.

Kresse. Wegen ihres hohen Vitamingehalts sollte das ganze Jahr über Kresse herangezogen werden. Im Handel gibt es Saatgut von glattblättriger Kresse (sie heißt dann »Einfache« oder ähnlich), die krausblättrige »Gefüllte«, die breitblättrige »Großblättrige«, die gelbblättrige »Goldgelbe Englische«. Auf ihre unvergleichlichen Qualitäten verweisen Sortennamen wie »Mega« und »Sprint«, ein ganz besonders schnell wachsender Stamm der »Einfachen«.
Im Freiland eignet sich ein halbschattiges Plätzchen, denn bei voller Sonne schießt Kresse schnell in den Samen. Die erste Aussaat erfolgt im März breitwürfig oder in Reihen von 15 cm Abstand. Bei Trockenheit muß reichlich gewässert werden, damit die Pflänzchen innerhalb von drei bis vier Wochen erntereif sind. Sobald sie 7 bis 8 cm hoch sind, kann geschnitten werden. Laufende Folgesaaten sorgen dafür, daß im ganzen Sommerhalbjahr die Kresse nicht ausgeht.

Löffelkraut. Im Garten kann man den zweijährigen Kreuzblütler von Mai bis September aussäen. Den Sommer über macht die Sonne den Geschmack der Blätter etwas rauh, deshalb ist der Anbau im Frühjahr oder Herbst eher angeraten. Ausgesät wird dünn in Reihen von 20 bis 25 cm Abstand, 5 bis 10 mm tief. Nach acht bis zehn Wochen kann die Ernte der Blätter beginnen, sobald sie etwa fingerlang sind. Wenn nicht zu tief geschnitten wird, kann öfter von denselben Pflanzen geerntet werden. Sie sind Vitamin-C-reich und werden wie Kresse zubereitet.

Löwenzahn. Als Salatgemüse sind Sorten gezüchtet worden, die weniger Bitterstoffe in ihren fleischigen Blättern enthalten. Die Namen beschreiben ihre Merkmale. »Kultivierter Vollherziger« ist wohlschmeckend und zart; »Frühester Verbesserter« wächst schneller und größer; »Großblättriger« treibt Blattbüschel von über 50 cm Durchmesser; »Krausblättriger« bildet aus den Herzblättern kleine Köpfe; »Nouvelle« ist ein verbesserter, vollherziger »Breitblättriger« mit reichlich dunkelgrünem Laub von gutem Geschmack, grün und gebleicht.
Die besten Aussaatzeiten sind März bis Mai und August bis September im Reihenabstand von 25 cm, in der Reihe verzogen auf 10 bis 15 cm. Vor der Aussaat werden 50 g/m^2 Volldünger blau, einige Wochen später noch einmal 25 g/m^2 gestreut. Die Pflanzen können im Winter draußen bleiben. Im Frühjahr legt man schwarze Folie über, so bleiben die Austriebe gelb und zart. Zum Treiben im Haus schneidet man das Laub im Herbst auf 2 bis 3 cm über der Wurzelkrone ab, stellt die Wurzeln dicht an dicht in einen Eimer und füllt 20 cm trockene Erde oder Sägemehl darüber. Bei 16 bis 18 Grad bilden sich in zwei bis drei Wochen gebleichte Triebe.

Mangold. Im Gegensatz zum Stielmangold (s. S. 97) ist Schnittmangold oder Beißkohl eine eigene Unterart der Rübe *Beta vulgaris.* Er ist etwas robuster, kann also ganzjährig draußen bleiben, auch in lichtem Schatten, wenn der Boden tief genug humos und nahrhaft ist. Groß ist das Sortiment nicht: »Grüner Schnitt« ist eine Auslese von großer Blattmasse; »Lukullus«, gelb und krausblättrig, kann auch als Stielgemüse gezogen werden.
Die erste Aussaat kann im März oder April gelegt werden. Im Reihenabstand von 25 bis 30 cm werden zwei bis drei Samen 2 cm tief ausgelegt und auf 20 bis 25 cm vereinzelt. Es bleibt jeweils nur der kräftigste Keimling stehen. Gedüngt wird mit 50 g/m^2 Volldünger blau, bei Bedarf später noch einmal 20 g/m^2. Bis in den Juni sind Folgesaaten möglich. Als Winterschutz genügt eine Laubschicht von 5 cm Stärke, damit im zeitigen Frühjahr frisches Blattgemüse aus dem Garten kommt.

Melde. Als eine Art Spinat wurde die Melde im Mittelalter hoch geschätzt, bis der echte Spinat sie verdrängte. Im Garten gedeiht dieses »Unkraut« in halbschattiger bis sonniger Lage. Sie braucht für guten Ertrag regelmäßig Wasser und Düngung. Trockenheit führt zu schnellem Aufschießen. Da sie leicht in Samen geht, muß für Folgesaaten gesorgt sein, damit man das ganze Jahr über ernten kann. Meldesamen kann jederzeit, außer wenn es gefroren hat, in den Boden.
Mit einem Reihenabstand von 35 bis 40 cm und auf 20 cm in der Reihe verzogen, legt man auf 1 m^2 etwa 1 g Samen. Den Boden bereitet man vorher mit 50 g Volldünger auf 1 m^2 vor. Nach wenigen Wochen bekommen sie noch einmal eine Kopfdüngung von 15 g. Geerntet wird, wenn die Rosetten etwa so groß wie Spinatblätter sind. In der Küche wird Melde wie Spinat zubereitet und kann zur längeren Lagerung eingefroren werden.

Neuseeländer Spinat. Neuseeländer Spinat ist für den privaten Haushalt besonders geeignet, denn schon wenige Pflanzen versorgen eine Familie den ganzen Sommer über bis in den späten Herbst mit frischem Gemüse.
Die Samen sind so groß, daß schon 5 Körner 1 g wiegen. Die harte Schale verzögert die Keimung; deshalb legt man die Samen eine Nacht lang in angewärmtes Wasser und steckt dann je 1 Korn in einen kleinen Blumentopf, der etwa zu 2/3 mit lokkerer Erde gefüllt ist. Die Samenkörner sollen etwa 1 cm hoch mit Erde bedeckt sein, bevor sie an einem warmen Platz im Zimmer aufgestellt werden. Damit die Erde nicht austrocknet, deckt man eine Glasscheibe oder durchsichtige Folie über die Töpfe.
Ausgepflanzt wird nach Mitte Mai im Abstand von 1 m, denn die Triebe legen sich flach und verzweigen sich vielfach. Der Boden sollte nährstoffreich sein, also vorher mit 60 g/m^2 Volldünger versorgt. Darauf folgen zwei weitere Gaben von 30 g/m^2 Anfang Juli und Mitte August. Mit der Ernte kann begonnen werden, sobald die Triebe 30 cm hoch gewachsen sind. Abgenommen werden die Seitenblätter sowie die Triebspitzen der wuchernden Seitentriebe. Im Vergleich zum heimischen Spinat kann man mit der doppelten Erntemenge rechnen, und sie schmeckt feiner. Verwandt sind die beiden Spinate nicht.

Pflücksalat. Blatt-, Schnitt- oder Pflücksalat gehört zur selben Unterart wie der Kopfsalat. Auch die gelben und roten Eichblattsalate entstammen dieser Gruppe. Es sind zwei Farbvarianten der Sorte »Salad Bowl« mit eichenblattähnlich tief eingeschnittenen Blättern, die kräftig rot oder gelbgrün gefärbt sind. Neben dem »Amerikanischen Braunen« und »Australischen Gelben« gibt es neuere Spielarten wie »Lollo«, »Lollo Bionda« und »Lollo Rossa«, ebenfalls mit gelbgrünen oder dunkelrosaroten, gewellten Blättern in kompakten Rosetten. Bei

»AWP 199« schichten sich die Blätter fast kopfsalatartig umeinander, bleiben zart, schmackhaft und schoßfest. »Red Sails« hat sich zu einer Art Eis-Pflücksalat entwickelt, der kernig schmeckt, über knackigen Biß verfügt und lockere, aber geschlossene dunkelbraunrote Köpfe bildet.
Alle Pflück- oder Schnittsalate werden ab Januar unter Glas vorgezogen oder Ende März, Anfang April auf ein geschütztes Freilandsaatbeet ausgesät mit 3 g/m^2, später auf 15 bis 30 cm Endabstand vereinzelt. Gedüngt wird bei längerem Stand und Bedarf mit 40 g/m^2 Volldünger blau.

Radicchio. Radicchio, eine italienische Spezialität, wird seit Jahren verstärkt in der Bundesrepublik angebaut. Neben der Rotfärbung zeichnet sich Radicchio durch gute Haltbarkeit aus. Für den gestaffelten Anbau stehen zwei Sortengruppen zur Verfügung, und zwar für Aussaat oder Pflanzung und Ernte im selben Jahr. Dreiährige Versuche in Veitshöchheim zeigten, daß die zweite Sortengruppe (»Veroneser«-Typen wie »Rosetta Verona« oder »Roter von Verona«) zum ungeschützten Anbau in unserem Klima nicht geeignet ist. Dafür sind nur Sorten geeignet wie »Palla Rossa« und seine Auslese »Roter Ballon« oder »Marina«. Sie bringen nach rund drei Monaten ovale Köpfe mit festem Herz, weißen Blattrippen und weinroten Außenblättern.
Die einjährigen Sorten werden möglichst früh, bereits ab Februar, bei anfangs 25 Grad vorgezogen und später auf 25 mal 25 bis 30 cm ausgepflanzt. Als Grunddüngung streut man 60 bis 80 g/m^2 Volldünger blau und die Hälfte davon später als Kopfdünger. Bei der Herbsternte muß der Blattansatz mit einem Stück Pfahlwurzel dran abgeschnitten werden, damit der Kopf nicht auseinanderfällt.

Rauke. Die Salatrauke gedeiht auf Beeten im Freiland und unter Glas in Töpfen und Balkonkästen an sonnigen bis halbschattigen Plätzen. Im Freiland wächst sie von Ende März bis Anfang September robust und schnell, bis zur ersten Ernte dauert es ähnlich wie bei der Kresse nur drei bis fünf Wochen. Geerntet werden die Blätter vor der Blüte. Die Aussaat erfolgt breitwürfig oder dünn in Reihen von 15 bis 20 cm Abstand, 0,5 cm tief. Der Tüteninhalt reicht für 10 m Saatreihe. Bei einer Temperatur von 15 bis 20 Grad Celsius sind die Samen nach 10 bis 14 Tagen gekeimt.

Sauerampfer. In europäischen Ländern gilt der »Englische Spinat« als Delikatesse in grünen Soßen, Suppen oder als Salat. Ausgesät wird im Freiland von April bis Juni mit einem Reihenabstand von 30 bis 35 cm, in der Reihe von 20 cm. Vor der Aussaat streut man 50 g/m^2 borhaltigen Volldünger rot und dieselbe Menge später bei Bedarf noch einmal als Kopfdüngung. Während der Wachstumszeit muß man reichlich wässern, jäten und Blütentriebe ausbrechen. Wenn die Pflanzen 4 bis 5 Blätter haben, werden sie so abgepflückt, daß die nachwachsenden Herzblätter nicht beschädigt werden. Die Ernte dauert den Winter über, an alten Stöcken vom Frühjahr an. Zwei Jahre dauert der Vollertrag, doch sind drei bis vier Jahre keine Seltenheit. Wenn die Samenstengel frühzeitig abgeschnitten werden, wachsen mehr Blätter nach.

Spinat. Frühe Spinataussaaten setzen voraus, daß die Beete gut darauf vorbereitet sind. Über das leicht abgetrocknete Land streut man 2 bis 3 cm organischen Mischdünger. In die lockere Humusschicht kann der Spinatsamen eingebettet werden, wenn der Boden noch gar nicht bestellbar ist. Man sät wesentlich dichter als sonst in Reihen. Von dem Beet kann dreimal geerntet werden, indem man immer jede zweite Reihe herausnimmt und auf diese Weise für die stehenbleibenden Platz schafft. Das erste Mal darf geerntet werden, sobald die Reihen sich zu schließen beginnen. 8 bis 14 Tage später wird abermals jede zweite Reihe herausgeschnitten, so daß am Ende nur noch vier Reihen auf dem Beet stehen. Nur diese letzten Pflanzen wachsen bis zu ihrer vollen Größe heran. Da sie nicht gleich schießen, kann nun nach und nach geerntet werden.

Auf so intensive Kultur wird der Boden mit 60 g/m^2 Mehrnährstoffdünger und 100 g/m^2 kohlensaurem Kalk vorbereitet, und später werden noch einmal 20 g/m^2 nachgeliefert, sobald der Trieb nachläßt. Gedüngt wird nur, solange die Blätter völlig trocken sind. Anschließend werden die Pflanzen gründlich abgebraust.

Als Sorten für die früheste Aussaat haben sich »Prolog«, »Spica« und »Vital R« hervorgetan. Die Züchtung brachte schoßfeste Sorten, die im Sommer nicht gleich Blüten bilden und eine gewisse Widerstandsfähigkeit gegen Mehltau für feuchte Tage haben. Die spät schießenden Sorten wie »Atlanta«, »Dorema« und »Nores« erkennt man am dunkleren Grün der Blätter, »Hilds Lorelei« ist sogar tiefdunkelgrün. Mehltaufest von ihnen sind »Nores« und »Dorema«, sowie die ebenfalls spät schießende Sorte »Medania« und die mittelspät bis spät schießende »Matares«, »Dynamo«, »Marathon« und »Früremona«.

Andere Sorten sind für die späte Aussaat nicht geeignet, weil es im Sommer auf Schoßfestigkeit und Widerstandsfähigkeit gegen Mehltau ankommt. Die Spinaternte läßt sich mit den richtigen Sorten bis in den Dezember hinein fortsetzen, weil sie bei verhältnismäßig niedrigen Temperaturen wachsen. Die meisten von ihnen vertragen einige Frostgrade, wenn sie unter dem Schutz eines Frühbeets stehen. Ausgesät werden diese spätesten Folgen noch im September in den vorerst offenen Kasten, breitwürfig mit etwa 20 g Saatgut auf 1 m^2. Wird ausreichend gedüngt und gewässert, kann drei Wochen später mit der ersten Ernte begonnen werden. Dabei zieht man die größten Spinatpflanzen vorsichtig zwischen den stehenbleibenden heraus, die dadurch mehr Platz bekommen, um nachzuwachsen. Spätestens Mitte Oktober wird zum letzten Mal flüssig gedüngt, und danach werden die Fenster aufgelegt.

Zuckerhutsalat. Diese Spielart der Zichoriensalate, Herbstchicoree oder Fleischkraut, wird nach der bekannten Schweizer Sorte Zuckerhutsalat genannt. Originalsaat vom Stamm Vatter bildet sehr feste, bis zu 40 cm hohe, tütenförmig geschlossene Köpfe und schmeckt ausgezeichnet als Salat wie als Gemüse. Es gibt Sorten wie den »Kristallkopf«, der nach früher Saat nicht schießt, wenige Seitentriebe, aber hohe Blattmasse entwickelt. Der Zuckerhutsalat sollte nicht vor Mitte Juni ausgesät werden, eher später in Folgen bis in die zweite Julihälfte im Abstand zwischen den Reihen von 30 bis 40 cm und von 20 bis 25 cm in der Reihe. Das Land wird mit 50 bis 60 g Volldünger auf 1 m^2 vorgedüngt, später gibt man bis zum Herbst noch 2mal 20 g/m^2 als Kopfdünger. Dann wächst er schnell, bis sich ab Oktober die Köpfe tütenförmig schließen. Er verträgt erste Frostnächte.

Zwiebelgemüse

Im Garten erinnern viele Zwiebelarten daran, daß sie zu den Liliengewächsen gehören. Ihre Blüten sind so schön, daß sie wie der Blumenlauch in den Ziergarten gesteckt werden können. Eine Reihe blühender Schnittlauch ist denn auch ein beliebter Randschmuck an der Staudenrabatte. In der Küche sind sie alltäglich so unentbehrlich, daß sie mengenmäßig an zweiter Stelle hinter den Tomaten kommen. Sie werden als Gewürz und Gemüse, aber auch als Heilmittel verwendet; ihre schwefelhaltigen ätherischen Öle rühren zu Tränen. Außerdem enthalten sie Enzyme, Vitamine, wertvolle Mineralien wie Eisen, Kalk und Phosphor. Auf dem ersten Platz stehen sie bei den Flavonoiden (Vitamin P), der Wunderwaffe gegen Herztod und Krebs. Dazu kommen weiter Saponine, Glucosinulate, Phenolsäuren und Terpene. Das macht Zwiebeln schon fast rezeptpflichtig, ohne Risiken und Nebenwirkungen. In Apotheken bekommt man denn auch Zwiebelextrakte, die das Immunsystem stärken, das Blut verdünnen, Arterienverkalkung hinausschieben (besonders Knoblauch tut sich hier hervor) und bei Entzündungen helfen. In der häuslichen Gesundheitspflege gibt man Zwiebelsaft vorbeugend und lindernd bei Erkältungen, Heiserkeit, Halsentzündung, Husten, sogar Keuchhusten, Bronchial- und Rachenkatarrh. Auf die Verdauung wirken die Heilkräfte der Zwiebel an vielen Stellen und auf unterschiedliche Weise. Zu hohe Blutdruck- und Blutzuckerwerte bei Diabetikern werden gesenkt. Äußerlich hilft eine Auflage von Zwiebelscheiben gegen Insektenstiche, Verbrennungen, Erfrierungen.

Frühlingszwiebel. Den Winter über bleiben die Winter- oder Frühlingszwiebeln, auch Heck- oder Schnittzwiebeln genannt, grün und können jederzeit geschnitten werden. Da man sie in der Küche ähnlich wie Schnittlauch verwendet, werden sie auch als Röhrenlauch bezeichnet. Im Handel sind Sorten mit Namen wie »Winterhecke« oder »Winterzwiebeln«, aber auch ausländische wie »Evergreen Bunching«. »Kaigaro« ist sehr wüchsig, ihr bis zu 50 cm langer weißer Schaft von mildem Geschmack. Die roten und weißen »Southport Globe« bilden anders als die eben genannten runde Zwiebeln, die als Bundzwiebeln mit grünem Laub geerntet werden. Ganz ohne Zwiebel wächst »White Spear« mit Laub ähnlich wie Porree aufrecht, oben dunkelgrün, unten weiß.

Am besten gedeihen Frühlingszwiebeln im warmen, humosen, tiefgründigen Erdreich, das nicht zu trocken sein sollte, aber durchaus sandig, wenn es nicht an Nährstoffen fehlt. Nur gegen saure, verunkrautete Böden sind die Pflanzen empfindlich. Vor der Aussaat oder Pflanzung gibt es 50 bis 60 g Volldünger auf 1 m^2, im folgenden Frühjahr noch einmal halb so viel.

Ausgesät werden diese Zwiebeln im Haus, immer 2 oder 3 Samen in einen Topf. Sobald die Keimlinge groß genug sind, werden sie im Reihenabstand von 25 bis 30 cm und in der Reihe von 10 cm auseinandergepflanzt. Sie sollen draußen nicht tiefer stehen als in der Anzucht. Wird später im Hochsommer direkt an Ort und Stelle gesät, hält man die gleichen Abstände ein und verzieht, wenn die Sämlinge groß genug geworden sind. Unter Glas sind die ersten Frühlingszwiebeln ab März erntefähig. Wenn die Zwiebeln größer werden sollen, kann man sie bis Mai stehen lassen. Das kommt auf die Sorte an. Nach der Aussaat im Frühjahr wird von April bis Juni geerntet. Sie bleiben mehrere Jahre an ihrem Platz stehen.

Lauchzwiebel. Zu den neueren Zwiebelgemüsen gehört die lange, weiße »Milda«, die keine Zwiebel ausbildet, sondern einen porreeähnlichen Schaft. Das angenehm und zart schmekkende Laub ist nach kurzer Kulturdauer erntereif. Ausgesät wird je nach Witterung ab März oder April, bis in den hohen Sommer hinein in kleinen Portionen, die auf den Bedarf der Küche abgestimmt sind.
Die Samen sollen dünn und 1 bis 2 cm tief liegen, die Reihen 20 bis 25 cm Abstand halten. Bei 10 bis 20 Grad Celsius keimen sie in zwei bis vier Wochen. Der schnelle Start wird von 2mal 40 g Volldünger auf 1 m^2 gefördert. Die Lauchzwiebeln können sehr jung geerntet werden. Sie sind vielseitig verwendbar, als Beigabe zum Salat, auf Pizzas, in Mischgemüsen, Suppen, Reis- und Nudelgerichten fernöstlicher Art oder auch allein als Ganzes gedünstet.

Perlzwiebel. Perl- oder Silberzwiebeln ohne braune Schalenblätter entstehen rund um die eiförmige Mittelzwiebel des Perl- oder Weinlauchs (mit zahlreichen anderen Namen). Er ist nicht so robust wie der heimische Lauch, der ebenfalls Perlzwiebeln ausbildet, wenn man die Stangen über Winter stehen läßt. Sie blühen, und anschließend bildet sich rund um die verdickte Basis ein Kranz kleiner Nebenzwiebeln.
Perlzwiebeln verlangen nicht viel für ihre kleinen Nester von Brutzwiebeln. Der Boden sollte leicht sandig-humos, also lokker und warm sein. Gesteckt werden die Knöllchen im März 3 cm tief im Abstand von allseits 10 bis 15 cm. Schon im Juli oder August welken die Blätter, und es kann geerntet werden. Man hebt die ganzen Pflanzen aus der Erde und verliest die Zwergzwiebeln. Sie sind nicht lagerfähig, müssen also sofort in Essig eingelegt oder anders verwertet werden.

Porree. Porree stellt keine Ansprüche an das Klima, wünscht jedoch einen tiefgründigen, humusreichen Boden. Die Jungpflanzen sät man bereits im März im Haus oder unter Folie aus. Für 1 m^2 braucht man 2 g Saatgut, das nach 15 bis 18 Tagen aufgeht. Ab April ist die Freisaat ohne weiteren Schutz möglich. Der richtige Zeitpunkt für das Auspflanzen kommt von Mai bis Anfang Juli. Da Porree nach später Pflanzung bis zum Herbst fertig wird, ist er eine beliebte Nachfrucht auf abgeernteten Beeten. Als Zwischenkultur ist Porree geeignet, weil er wenig Platz braucht. Häufig wird Porree zusammen mit Möhren angebaut, die vorher ausgesät und im Laufe der Sommermonate abgeerntet werden. Zwischen den schmalen Reihen kann später Salat oder Spinat angebaut werden.
Im Sommer wird gegossen und gedüngt, bei Zwischenkulturen mit erhöhten Gaben. Normalerweise gibt man während der Sommermonate Juli und August je 50 g Volldünger auf 1 m^2, entweder flüssig oder man hackt die Körner nach dem Ausstreuen ein. Nach und nach häufelt man die Pflanzen an, so daß sie lange, weiße Schäfte bekommen. Tiefer zu pflanzen hat keinen Zweck, man erzielt nur spillrige Stangen. Es hat sich erwiesen, daß sich die Porreepflanzen besser entwickeln, wenn Laub und Wurzeln nicht eingekürzt werden. Deshalb sollte man Porree vor dem Auspflanzen nicht stutzen.
Bei der Sortenwahl muß zwischen Sommer-, Herbst- und Winterporree unterschieden werden. Für den Sommeranbau sollte man »Herbstriesen« nehmen. Von dieser ertragreichen Sorte sind Selektionen im Handel wie »Argenta«, »Goliath«, »Kazan« und »Otina«. Für den frühen Anbau im Freiland eignen sich »Rese«, »Ohlens Enke«, mit langen, dicken Schäften und geringer bis mittlerer Zwiebelbildung. Eine gute Sorte wie »Tropita« bringt bis zum Herbst 35 bis 45 kg von 10 m^2. Ihr weißer Schaft ist 30 bis 40 cm lang und ohne ausgeprägte Zwiebel gerade.

Ertragreich sind »Siegfried« und »Winta« für den Winteranbau. Mittellange bis lange Schäfte hat die für den Früh-, Herbst- und Winteranbau geeignete Sorte »Zwitserse Reuzen«. Sorten wie die verbesserten Winterriesen »Genita« oder »Carentan« sind frosthart genug, um bis zum Frühjahr draußen zu bleiben, wenn's nicht zu kalt wird.
Winterporree muß nicht eingelagert werden, sondern kann durchaus auf dem Beet bleiben. Kälte und gelegentlichen Frost übersteht er gut. Notfalls kann man das Porreebeet mit Laub und Fichtenreisig abdecken. Im Keller wird die Ernte in feuchten Sand eingeschlagen. Das Laub wird wie beim Einschlag im Freiland eingekürzt. Im Gegensatz zum Sommerporree wird der Winterporree nicht so lang und zeichnet sich durch derbe, dunkelblaugrüne Blätter aus.

Schalotte. Schalotten sind die edelsten Zwiebeln, folglich die teuersten und darum im Garten anbauwürdig. Sie haben violett gefärbte Innenhüllen und sind schärfer als Küchenzwiebeln, aber deutlich feiner und aromatischer im Geschmack.
Schalotten verlangen einen leichten, sandigen Boden, der vor dem Auslegen der Steckzwiebeln mit 25 bis 30 g Volldünger auf 1 m^2 vorbereitet wird. Ende Mai gibt es dann noch einmal dieselbe Menge. Gepflanzt werden die Teilzwiebeln 5 cm tief entweder im Februar oder März, wenn der Boden schon warm genug ist. Die Reihen sollen 15 bis 25 cm auseinanderliegen, der Abstand in der Reihe beträgt 10 bis 15 cm. Eine zweite Pflanzzeit kommt von September bis November.
Wie viele Zwiebelsorten überstehen sie den Winter im Freiland draußen, wenn sie bei schneelosen Starkfrösten abgedeckt werden. Aus den Einzelzwiebeln entwickeln sich ganze Büschel, die geerntet werden, sobald die Laubblätter im Juli oder August anfangen welk zu werden. Die Schalotten werden gewaschen, abgetrocknet und in einem luftigen, aber trockenen Raum aufbewahrt.

Zwiebelarten. Es hat nicht viel Sinn, das zweithäufigste Küchengemüse im eigenen Garten anzubauen. Aber es gibt neben der gewöhnlichen Küchen-, Sommer- oder Speisezwiebel weniger bekannte Spielarten, die sich sehr wohl lohnen, weil man sie auf dem Markt selten oder gar nicht findet:

Gemüsezwiebeln: Sie gelten als die mildesten Zwiebeln, die man roh verzehren kann. Schoßfest und haltbar auf dem Lager sind ältere Sorten wie »Zittauer Gelbe«, »Stuttgarter Riesen«, »Birnenförmige« und »Juwarund«. Sie alle eignen sich zur Saat an Ort und Stelle im zeitigen Frühjahr. Interessant sind die neuen winterharten Zwiebelsorten. Sie können Mitte August gesät werden, überwintern an Ort und Stelle und können ab Mitte April geerntet werden. Sorten wie »Senshyu Yellow«, »Keep Well«, »Express Yellow«, »Dragon Eye« brauchen nur in rauhen Lagen Schutz vor Kahlfrösten mit Fichtenreisig oder Vlies.

Rote Zwiebeln: Sie haben (statt behalten) eine dunkelrote Haut, und das rötlich-violette Fleisch ist ebenfalls milder als das der heimischen Küchenzwiebeln. Man kann die Scheiben wenige Minuten in leichtem Essigwasser kochen und damit einen Orangensalat garnieren. Ein Tropfen Maggi auf die Zwiebelscheiben nimmt die Schärfe.

Weiße Zwiebeln: Sie wirken platter als normale Küchenzwiebeln, sonst aber unterscheiden sie sich in der Größe kaum. Sie schmecken angenehm mild und sind eine feine Gemüsebeilage, wenn man sie ganz in etwas Fleischbrühe dünstet und in warmer Butter schwenkt.

Riesenzwiebeln: Vergleichsweise riesig sind Zwiebeln wie »Yellow Sweet Spanish« und »The Kelsae«, die man mit beiden Händen kaum umfassen kann. Sie gelten geschmacklich als die mildesten Sorten und sind lange lagerfähig. Von Dezember bis Februar kann man sie bei 18 Grad Celsius im Zimmer vorziehen oder Ende März/Anfang April direkt ins Freie säen. Dazu legt man den Samen in Töpfen 0,5 cm tief in Substrat und deckt

mit einer Glasscheibe oder Folie ab. Sobald sich das zweite Keimblatt gebildet hat, wird pikiert und die Temperatur auf 10 bis 13 Grad abgesenkt.
Ab April kann man die Jungpflanzen der Riesenzwiebel in den Frühbeetkasten setzen, in dem sie bis nach dem Frost bleiben, dann wird ins Freie gepflanzt. Der Pflanzabstand in lehmhaltigem, humosem, durchlässigem Boden beträgt 25 mal 30 cm. Vor dem Pflanzen gibt man Kali in den Boden. Bis Ende Juli wird alle drei Wochen gedüngt, 50 bis 60 g Volldünger auf 1 m^2, danach nur noch Kali bis Ende August/Anfang September. Wenn das Laub reift, werden die Schlotten umgelegt, geerntet wird im September oder Oktober.
Sommerzwiebeln: Ausgesät werden die Sommerzwiebeln im Freien oder unter Glas. Dazu legt man bei Vorkultur je zwei oder drei Samen in Töpfe. Sobald die Keimlinge groß genug sind, werden sie im Abstand von 10 cm ausgepflanzt. Die Pflanzen sollen nicht tiefer stehen als vorher. Bei Aussaat an Ort und Stelle sät man den Samen im gleichen Abstand aus und vereinzelt die Sämlinge, wenn sie groß genug sind. Geerntet werden die ersten Frühlingszwiebeln, die man im Haus herangezogen hat, ab März. Sollen die Zwiebeln größer werden, kann man sie bis Mai kultivieren; es kommt auf die Sorte an. Im Freiland wird von April bis Juni geerntet. Über Winter erhalten die Zwiebeln einen Schutz, damit sie vor allzu starken Frösten sicher sind.
Steckzwiebeln: Samenkörner von Steckzwiebeln streut man im Mai oder Juni. Der Ertrag steigt, wenn sie bei 40 bis 45 Grad Celsius gedarrt werden, das verhindert weitgehend die Schosserbildung, und die Erträge steigen um 60 bis 80 Prozent. Die sauber geputzten Zwiebelchen werden in einem engmaschigen Netz über einem Heizkörper aufgehängt. Dort bleiben sie von Anfang Januar bis zum Stecken bei einer Temperatur von 20 bis 25 Grad. Im März wird gesteckt, und zwar so flach, daß die Spitzen das Tageslicht sehen.

Kohlgemüse

Alle Kohlarten gehören als Unterarten zu einer Art von Kreuzblütlern. Sie wuchsen als reines Blattgemüse im Mittelmeerraum und wurden schon von den alten Kulturvölkern angebaut. Kopfkohl gedeiht in warmen Ländern nicht, er wird erst seit dem Mittelalter in Mitteleuropa gezüchtet. Er ist nicht natürlich entstanden, sondern aus deformierten Stengeln, Knospen, Blättern und Blüten gezüchtet worden. Die Geschmacks- und Inhaltsstoffe unterscheiden sich bei den einzelnen Kohlarten. Das ätherische Senföl verbindet sich mit Glykosiden zum markanten Kohlgeruch.
Die dunkelgrünen Blätter sind vitamin- und nährstoffreich, die roten enthalten zusätzlich die Farbstoffe Anthocyan und Karotin, die Vorstufe von Vitamin A. Unterschiedliche Mengen der Vitamine C, B_1 und B_2 machen den Kohlgenuß auch in gesundheitlicher Hinsicht interessant. Neu ist die Erkenntnis, daß Kohlarten einen hemmenden Einfluß auf Tumorbildung haben, indem krebserregende Enzyme an andere Stoffe gebunden und damit wirkungslos gemacht werden. Außerdem halten sie das Wachstum bereits entarteter Körperzellen ganz oder teilweise auf. Einige Kohlarten liefern unterschiedliche Mengen von Folsäure, die höchst wichtig für die Bildung roter Blutkörperchen im Knochenmark ist. Anders als die Vitamine der B-Gruppe muß Folsäure täglich neu aufgenommen werden. Schon geringer Mangel daran kann einige Krebsarten und das Infarktrisiko verdreifachen.

Blumenkohl. Blumenkohl ist wegen seines feinen Geschmacks und seiner guten Bekömmlichkeit eines der beliebtesten Kohlgemüse. Im eigenen Garten baut man Blumenkohl in kleinen Sätzen an, die jeweils für den Bedarf der Familie ausreichen. Die Jungpflanzen müssen ununterbrochen lebhaft wachsen. Um möglichst lange erntefähige Blumen zu haben, zieht man den Blumenkohl in Folgen heran.

Aussaattermine für Blumenkohl

Anbau als	*Aussaat*	*Ernte*
Frühblumenkohl	Jan./Febr.	Ende Mai/Juni
Folgesatz	Mitte März	Juli
Sommerblumenkohl	Mitte Mai	Juli/August
Herbstblumenkohl, Frühs.	Anfang Juni	September
Herbstblumenkohl, Späts.	Anfang Juni	Sept./Okt.

Für jede Jahreszeit gibt es die richtigen Sorten. Die frühesten sind die »Alpha«-Typen wie »Jubro« und »Prekasa«, ein allerfrühester »Erfurter Zwerg« mit hoch gewölbten, schweren, festen, schneeweißen Köpfen, »Mechelner« und »Opal«. Für den Frühsommer empfehlen sich »Celesta«, »Neckarperle«, »Homade«; »Lecerf« ist eine reine Sommersorte. Die Mehrzahl steht jedoch erst im Sommer und Herbst auf den Beeten: »Andes«, »Revito«, »Siria« und viele andere, jedes Jahr neue Sorten. Wintersorten für Gegenden, in denen es nicht kälter als 8 Grad wird, erkennt man an Namen wie »Snow February«, »Snow March«, »Snow Prince«. Snow bedeutet da nicht nur Schnee im Februar oder März, sondern auch schneeweiße Blume.

Frühblumenkohl zieht man im Haus bei etwa 14 bis 16 Grad Celsius heran. Die Bodentemperatur auf einer Fensterbank mit

Heizung soll einige Grade über der Lufttemperatur liegen. Spätere Sätze können im kalten Frühbeetkasten angezogen werden. Bei warmer, trockener Witterung nimmt man die Fenster ab.
Die frühen Sätze werden eingetopft. Dabei war der Jiffy-Pot am erfolgreichsten. Der Ertrag im dreijährigen Mittel betrug bei pikierten Jungpflanzen am zweiten Erntetag 8,7, im Jiffy-Pot 30,3 Stückprozent. Wenn die Pflanzen mit einem Topfballen in den Boden gesetzt werden, wachsen auch spätere Sätze ohne Stokkung zügig weiter. Je größer die Töpfe sind, um so früher beginnt die Ernte. Für die frühesten wird ein 7-cm-Jiffy-Pot empfohlen, für die späteren reicht der 5-cm-Jiffy. Während der Anzuchtzeit muß gelüftet werden, damit kein Falscher Mehltau auftritt.
Mehr als andere Kohlarten reagiert Blumenkohl auf Boden und Wetter. Sorten für Frühanbau sollten sich schnell entwickeln und nicht zu Vorblühern neigen. Sie sollten selbstdeckend sein, damit sich die Blumen nicht verfärben und feste, große Blumen bilden, die gut gewölbt und nicht höckerig sind.
Für Blumenkohl muß das Land sorgfältig vorbereitet werden; denn wenn sein Wachstum einmal stockt, verkümmert die Blume. Hohe Humusgaben schaffen einen garen Boden, der viel Feuchtigkeit speichert und sich gut durchwurzeln läßt. Das erste Mal wird im April mit Abstand von 50 mal 50 cm gepflanzt. Für diesen Satz sollte man Frostschutzhauben bereithalten, um die Setzlinge in kalten Nächten schützen zu können. Die Pflanzen müssen ohne Unterbrechung durch Trockenheit oder Nährstoffmangel zügig heranwachsen. Man düngt 3 Wochen nach der Pflanzung, sobald die Setzlinge neues Wachstum zeigen, mit 20 bis 30 g Volldünger in einer Gießkanne von 10 l Inhalt. Auf diese Weise kommt der Dünger schneller zur Wirkung, als wenn dieselbe Menge auf 1 m^2 gestreut wird. Das wiederholt man bis 3 Wochen vor der Ernte in Abständen von 2 bis 3 Wochen. Sobald die Blume sichtbar wird, knickt man bei nicht selbstschließenden Sorten 1 oder 2 mittlere Blätter zur Mitte hin um.

Brokkoli. Die wohlschmeckenden Blütenstände und -knospen von Brokkoli sind ein wertvolles Kohlgemüse. Die neuen Sorten sind farblich abwechslungsreicher, nicht mehr nur weiß, gelb und grün. Es gibt auch rote, violette, rotviolette und blaugrüne Spielarten, dazu frühe, mittelfrühe und -späte sowie ganz späte Sorten. Als Frühsorten bewährten sich vor allem »Calabrese« mit bläulichgrünen Sprossen und »Greenia«, dessen grüne Blütentriebe den ganzen Sommer über bis zum Herbst geerntet werden. Die roten Blütenknospen auf den festen, schweren, feinknospigen Trieben von »Rosalind« werden beim Kochen grün und schmecken hervorragend. Dunkel blaugrün gefärbt sind »Juwaprim« und »Juwatard«, die nach dem Schnitt der Hauptblüte aus dem stehenbleibenden Strunk noch zahlreiche kleinere Seitentriebe ausbilden. Sehr früh reifen die 60 cm hohen Stiele von »Futura«, die bis 20 cm Durchmesser haben. Mittelfrüh wächst »Premium Cup« kräftig, kompakt und halbhoch; er besitzt dunkelgrüne, sehr große Mittelknospen und Seitentriebe für die zweite Tracht. Ebenso zeitig ist »Atlantic« mit guten Erträgen und Nachernte; mittelspät folgt »Emperor«, dunkelgrün und kompakt; später dran sind »Calabreser« mit Hybriden, »Green« und »Purple Sprouting«.
Angebaut wird Brokkoli genau wie Blumenkohl, er muß nur enger gepflanzt werden. Frühe Sorten zur Herbsternte sät man zwischen dem 15. und 20. Juni direkt ins Freiland, mit einem Endabstand von 50 mal 40 cm. Geerntet wird etwa nach 10 Wochen, bevor sich die Blüten öffnen. Scheint die Sonne, kann es nötig sein, jeden zweiten Tag durchzuernten, was aufzublühen droht. Nachdem der mittlere Blütenstand weggeschnitten wurde, entwickeln sich seitliche Knospen, die ein vollwertiges Gemüse sind. Sogar die fleischigen Blütenstände sind eßbar, sie werden wie Spargel geschält.

Butterkohl. Dieses Frühjahrsgemüse mit goldgelb gefärbten, zarten Blättern ist mit Wirsing und noch näher mit dem Winterölraps verwandt. Es ist auch unter Schnittkohl und Frühlingskohl bekannt. Die frühesten Ernten bringt die Sorte »Gelber Butter«, die Ende März bis Anfang April ins Freiland in Reihen von 15 bis 20 cm Abstand ausgesät wird. Die Blätter sind nach wenigen Wochen erntereif und werden wie Spinat zubereitet. Zu lange darf man mit der Ernte nicht warten, da die Blätter verhärten.

Das passiert nicht beim »Goldgelben, zarten, selbstschließenden Rheinischen«, einer Spielart dieser Sorte. Die Pflanzen bilden lockere, wirsingähnliche Köpfe, die im Frühsommer geerntet werden. Man sät im März hinter Glas aus und pflanzt Mitte April mit 50 cm Abstand. Dieser Butterkohl liefert wirsingähnliche Gerichte von hellerer Farbe und feinerem Geschmack. Eine grünblättrige Sorte, die härter ist als die gelbblättrigen, sät man im September und im Frühjahr in Reihen aus. Sie wird wie Grünkohl zubereitet.

Wie alle Kohlarten braucht Butterkohl kräftigen, nährstoffreichen Boden. Auf leichten Böden gedeiht er, wenn für Nährstoffe gesorgt ist und bei trockenem Wetter gegossen wird. Bei Frühjahrskultur sollte der Boden nicht allzu schwer sein, da sich leichter Boden schneller erwärmt. Zur Vorbereitung auf die Aussaat gibt man 100 g chloridfreien Volldünger auf 1 m^2 und im weiteren Verlauf noch 2 Kopfdüngungen von je 50 g/m^2. Sie wirken am besten, wenn man rund um die Pflanzen streut. Anschließend wird eingehackt und gewässert, wenn es nicht regnet.

Chinakohl. Der China-, Peking- oder Blätterkohl kommt hauptsächlich aus Holland und Italien sowie zu einem kleinen Teil aus Norddeutschland auf unseren Küchentisch. Im Hausgarten ist er noch nicht verbreitet, dabei ist die Kultur nicht schwierig. Er wächst nicht selten 0,50 m hoch, manchmal

höher, und sieht wie eine Riesen-Endivie aus. Die ausgewachsenen Köpfe werden bis 2 kg schwer.
Das Sortiment gruppiert sich in ovale und zylindrische Kopfformen, außerdem in Frühsorten, die weitgehend schoßfest, aber nicht oder nur kurz lagerfähig sind, und späte Sorten, die 70 bis 95 Tage bis zur Erntereife brauchen. Dagegen sind »Hongkong« und »Spring« in 55 bis 60 Tagen fertig. Sie bilden breite, gedrungene und feste Köpfe von 1 bis 1,5 kg Kopfgewicht. Das gleicht sich in der Ertragsmenge aus, weil sie dichter mit acht Pflanzen auf 1 m^2 gepflanzt werden können. In 65 Tagen schaffen »Kasumi« und »Tango« mit sieben Pflanzen auf 1 m^2 ein Kopfgewicht von 2,5 kg. Zum Frühanbau eignen sich weiter »Early Jade Pagoda« mit halblanger, zylindrischer Kopfform, fest geschlossen und etwas höher als die »Hongkong«-Typen. Sie sind gut lagerfähig.
Das gilt für alle, die später angebaut werden, wie »Resi«, »Sixtyres« und »Kingdom«, die in 70 Tagen 2,5 kg schwer werden. 2,5 bis 3 kg erreichen in 70 bis 75 Tagen 6 Pflanzen auf 1 m^2 von »WR 70« und »Nagaoka King«. Der »Tokyo King« braucht 85 Tage, bis die fest geschlossenen, zylindrischen Köpfe 45 cm lang sind; sie haben dunkelgrüne Außenblätter, sind innen schneeweiß mit glatten breiten Rippen. Am schwersten wird »Treasure Island« in 95 Tagen mit 3 bis 4 kg.
Chinakohl wächst schnell heran, so daß die erste Ernte schon zwei Monate nach der Aussaat im Juli reif ist. Das paßt genau auf die im frühen Sommer abgeernteten Gemüsebeete. Sie müssen nicht umgegraben, sondern von Überresten der Vorkultur gesäubert und oberflächlich gelockert werden. Damit die Keimlinge ein weiches, warmes Saatbett finden, legt man eine zweifingerhohe Bodendecke aus Kompost auf, die in trockenen Sommerwochen vor Austrocknung schützt.
Ausgesät wird zu zweit oder dritt mit einem Abstand zwischen den Reihen von 40 cm und in der Reihe von 30 bis 40 cm. Nur

die kräftigste Jungpflanze bleibt übrig. Die Aussaatzeit ist nicht begrenzt. Anfang Juli bis Mitte August kann gesät oder vorgezogen werden. Die in Töpfen vorgezogenen Pflanzen müssen eine Anzuchttemperatur von 20 Grad Celsius haben, da sie sonst Schosser bilden.

Die gelbgrünen, schmalen, hohen, schweren Köpfe brauchen für ihr rasches Wachstum einen reichhaltigen Vorrat an Stickstoff, der ergänzt werden muß, und genügend Feuchtigkeit. Geerntet wird von September bis in den November. Vorgezogene Pflanzen sind im Juni soweit, im Gewächshaus gezogene bringen reiche Ernte bis Dezember.

Ist so viel Chinakohl erntereif, daß nicht alles auf einmal verzehrt werden kann, nimmt man die Köpfe aus dem Boden, stapelt sie in Steigen und bringt sie in den Keller. Während der Lagerzeit müssen sie laufend durchgesehen werden. Die Temperatur sollte nicht über 3 Grad Celsius liegen.

Grünkohl. Grünkohl kann während des ganzen Winters geerntet werden, er braucht also nicht konserviert, eingefroren, eingekocht, eingeschlagen oder eingetrocknet zu werden. Er ist nicht nur frosthart, sondern gewinnt erst durch Frosteinwirkung sein volles Aroma. Aber auch wegen seines Vitaminreichtums sollte er in keinem Garten fehlen.

Die Auswahl an Sorten ist nicht sehr groß, wenn man sich auf niedrige Pflanzen von guter bis mittlerer Frosthärte und starker bis mittelstarker Kräuselung beschränkt. Im Garten bevorzugt man die Sorte »Lerchenzungen«, die auch als »Hamburger Markt« bekannt ist. Sie wird 60 bis 100 cm hoch und bringt nicht ganz so viel verwertbare Blattmasse wie die drei anderen, niedriger bleibenden Sorten »Halbhoher Grüner Krauser«, »Hammer« und »Frosty«, deren Winterhärte und Kräuselung zum Teil noch besser ist. »Hammer« verträgt starken Frost und liefert hohe Erntemengen wenig gekräuselter Blätter und bläu-

lichgrüner Färbung. Der »Halbhohe Grüne Krause« ist am wenigsten frosthart und vergilbt im Winter nicht. Jedoch ist die Blattmasse groß, stark bis sehr stark gekräuselt und mittelgrün. Die frosthärtesten Sorten sind »Spurt« und »Vates«. Beide stehen auf niedrigen Stielen und liefern hohe Erträge grob gekräuselter, mittelgroßer Blätter.
Die Pflanzzeit erstreckt sich von Ende Juni bis in den August hinein. Damit ist der Grünkohl eine ideale Nachfrucht für den Gemüsegarten. Er kann auf Frühkartoffeln, Salat, Gurken, Erbsen, Bohnen, Radieschen und vieles andere folgen. Selbst im Halbschatten kommt er ganz gut zurecht; kräftiger und vitaminreicher wird er auf einem vollbesonnten Platz.
Die Jungpflanzen zieht man im Garten selbst heran, da sie erst Ende Mai, Anfang Juni auf ein Freilandsaatbeet ausgesät werden. Damit die Pflanzen nicht zu dicht stehen, rechnet man höchstens 2 bis 3 g Saatgut auf 1 m^2. Unmittelbar nach dem Keimen gießt man das erste Mal flüssigen Volldünger. Eine Gabe von 20 bis 30 g Volldünger auf 1 m^2 ist auch vor der Pflanzung als Krumendüngung angebracht, weil die Vorkultur die Nährstoffe im Boden aufgebraucht hat. Höhere Sorten pflanzt man auf 50 mal 50 cm, niedrige auf 40 mal 50 cm oder 40 mal 40 cm; je später gepflanzt wird, um so näher können die Pflanzen nebeneinander stehen.
Wenn Grünkohl auch zu den anspruchslosen Gemüsearten zählt, so verbessert sich das Ernteergebnis doch erheblich, wenn er im Laufe seiner Wachstumszeit einige Volldüngergaben erhält. In den Monaten September und Oktober streut man zwei- bis dreimal 20 bis 30 g Mehrnährstoffdünger. Eine zusätzliche Kaligabe von 15 bis 20 g auf 1 m^2 erhöht die Frosthärte. Zwei- oder dreimal muß durchgehackt werden, um das Unkraut zu beseitigen und den Boden zu durchlüften. Weitere Pflegemaßnahmen beansprucht der Grünkohl während seiner Kulturdauer nicht.

Kohlrabi. Wer alle Möglichkeiten ausnutzt, kann ab Ende April die ersten eigenen Kohlrabi ernten, wenn es im April nicht allzu kühl ist. Aber selbst wenn ein kalter April die Ernte um 14 Tage hinausschiebt, lohnt es allemal, sich die kleine Mühe zu machen.

Voraussetzung für die erfolgreiche Frühkultur von Kohlrabi ist, daß man die rauhen Frühjahrswinde und die Nachtkühle von den jungen Pflanzen fernhält. Das geschieht am einfachsten mit dem bekannten Plastiktunnel. Solche Folientunnel sind preiswert zu beziehen und halten viele Jahre. Sie können leicht versetzt werden und schützen dann nacheinander viele empfindliche Kulturen. Der Fachhandel bietet sie an in Längen zwischen 2 und 5 Metern bei Breiten und Höhen von 60 bis 90 cm. Zu jedem Tunnel gehören zwei Kopfstücke. Fertig montiert haben die Folientunnel Ähnlichkeit mit einem richtigen Gewächshaus.

Wichtig für das Gelingen der Kohlrabi-Frühkultur ist weiterhin die Auswahl der richtigen Sorte. Da der private Gartenbesitzer nur selten in der Lage sein wird, zu diesem frühen Zeitpunkt bereits eigene Kohlrabipflanzen heranzuziehen, kauft er sie besser beim Gärtner. Reine Freilandkohlrabi vertragen ohne weiteres einen Spätfrost.

Unter allen tiefblauen Freilandkohlrabis lag »Azur-Star« beim Bundessortenamt in Bamberg an der Spitze aller geprüften Sorten. Für den Freilandanbau im Frühjahr haben wir mit »Capri« und »Pollux« eine gute Auswahl. Eine Reihe blauer Züchtungen hat sich darüber hinaus im Sommer und Herbst bewährt: »Blaro«, »Blauer Delly« und »Blusta«, dazu der weiße »Prila«.

Gepflanzt wird auf dem gut vorbereiteten Beet je nach Witterung Ende Februar bis Mitte März. Der Pflanzabstand beträgt etwa 20 mal 20 cm, bei Riesensorten wie »Superschmelz« liegt er weiter auseinander, bis 60 cm. Der Boden soll feinkrümelig und nach dem Pflanzen gut feucht sein. Sodann wird der Plastiktunnel über das Beet gezogen. Er hält die vorhandene Feuchtigkeit fest. Kohlrabi wächst nur dann zügig, wenn er vor dem Auspflanzen eine Grunddüngung von 80 bis 100 g Volldünger auf 1 m^2 erhält. Bis zur Ernte folgen nochmal ein oder zwei Kopfdüngungen von je 30 g auf 1 m^2. In milden Lagen kann die Folienabdeckung um Mitte April abgenommen werden. Krasser Temperaturwechsel muß vermieden werden. Das verträgt Frühkohlrabi nicht.

Kopfkohl. Die Aussaatzeit der drei Kopfkohlarten liegt zwischen Januar und Februar, je nach Anbaulage und beabsichtigter Ernte. Die Anzuchtdauer ist von der Temperatur und der Lichtmenge abhängig und beträgt bei Januarsaat 8 bis 9 Wochen, im Februar nur noch 7 bis 8 Wochen. Ausgesät wird zuerst Rotkohl, danach Wirsing und Weißkohl. Die Anzucht gelingt umso besser, je heller es ist. Große Scheiben und wenig Schatten sind wichtig. Je geringer die Lichtmenge ist, um so niedriger müssen die Temperaturen liegen. Bis zum Pikieren hält man Temperaturen von 14 bis 16 Grad Celsius, später nur noch 10 bis 12 Grad. Sinken die Temperaturen stärker ab, muß man mit Schossern rechnen.

Vorteilhaft für die spätere Entwicklung ist es, die Jungpflanzen einzutopfen. Dafür eignen sich Plastiktöpfe von 7 bis 8 cm am besten. In den Töpfen entwickelt sich ein guter Wurzelballen, so daß die Pflanzen am endgültigen Standort ohne jede Unterbrechung weiterwachsen. Die Ernte ist nicht nur erheblich früher und größer, sondern auch von besserer Qualität.

Papiertöpfe bieten den großen Vorteil, daß sie mit eingepflanzt werden können. Die Ballen müssen also nicht herausgeholt werden und bleiben fest zusammen. Das Altpapier verrottet ohne Rückstände, während Plastiktöpfe die Müllmenge vergrößern oder Stapelplatz beanspruchen.

Kurz vor dem Auspflanzen gibt man den Jungpflanzen eine Startdüngung mit 16 g Volldünger auf 1 l Wasser, um dem Mangel an Spurennährstoffen, insbesondere Molybdän, vorzubeugen. Für zwei Frühbeetfenster mit 2,4 m^2 Beetfläche braucht man 10 l dieser Volldüngerlösung. Nach der Startdüngung sind die Topfballen stets ausreichend feucht zu halten, damit es nicht zu Salzschäden kommt. Den Erfolg dieser Startdüngung zeigt ein Versuch mit Weißkohl »Dithmarscher Früher«: ohne Startdüngung relativer Ertrag 100, mit 126, mit zweimaliger 133.

Je länger die Sorten auf dem Land stehen, um so weiter müssen die Abstände sein, 50 bis 60 cm maximal. Die Ansprüche an gleichbleibende Feuchtigkeit, ausreichende Ernährung, Schutz vor Unkraut und Schädlingen sind nicht gering.

Rotkohl: Um das ganze Jahr aus dem eigenen Garten versorgt zu sein, kann man Sorten aus drei Reifegruppen wählen. Als allerfrühester Rotkohl ist »Langendijker« zu empfehlen, dazu die Sorten »Frührot«, »Marner Frührotkohl« und »Dieners Frührotkohl«, die alle mittel platzfest sind. Mittelfrüh reifen »Allrot«, »Mohrenkopf«, »Niggy« und »Tarot«. Lagerfähig sind die Sorten des Herbst- oder Dauerrotkohls: »Autoro«, »Dauerrot«, »Extaro«, »Hardoro«, »Kwantoro«, »Marner Lagerrot«, »Marner Septemberrot«, »Rocco«, »Rodon«, »Rona«, »Roxy«, »Ruby Perfection« und »Vesta«. Die kürzeste Verweildauer auf dem Lager bietet »Marner Septemberrot«, etwas länger hält sich »Ruby Perfection«.

Weißkohl: Das Sortiment unterscheidet zwischen spitzen und runden Köpfen, frühen, mittleren und späten Folgen. Frühe Spitzkohlarten können im Herbst gepflanzt werden, wenn der Winter nicht zu kalt wird, so daß ab Mai erste Ernten reif sind. Am schnellsten sind »Erstling« und »Hispi« ausgewachsen, allerdings sind sie auch am wenigsten platzfest.

Schnellen Frühweißkohl liefern »Rapid«, »Delphi« »Agat«,

»Dithmarscher Frühstamm 49« und »Marner Allfrüh«. Die mittelfrühen Sorten sind ebenfalls noch nicht lagerfähig, am stärksten platzfest erweisen sich »Granit«, »Minicole« und »Predena«. Spät reif, aber lange haltbar sind vor anderen Herbst- und Dauersorten: »Bartolo«, »Bislet«, »Bison«, »Dauerweiß«, »Hidena«, »Lennox«, »Marathon«, »Stonar« und »Strukton«.
Wirsing: Das gleiche dreigeteilte Bild bietet das Sortiment des Früh-, Herbst- und Dauerwirsings. Als erste reifen »Frühwirsing Praeco HKZ«, »Salarite«, »Vorbote«; danach »Marner Frühkopfwirsing«, »Novusa«, »Resulta«. Die größte Auswahl bieten Lagersorten wie »Dauerwirsing«, »Hamasa«, »Hammer«, »Icepalace«, »Ice Queen«, »Lucetta«, »Marner Grüfewi«, »Marner Grünkopf«, »Marner Septemberwirsing«, »Vertus«, »Winterfürst«, »Wirosa« und »Yslanda«.

Pak Choi. Diese neue Kohlart ist mit dem Chinakohl verwandt und wird auch als Japanischer Stengelkohl, Blattstielkohl oder Paksoi bezeichnet. Sie bietet offene und geschlossene Typen als Nachkultur. Bei uns ist eine offene Form mit rosettenartig angeordneten, dickfleischigen, weißen bis hellgrünen Blattstielen, die dem Stielmangold ähnelt, am verbreitetsten.
Sie wird bis zu 50 cm hoch. Neuer ist eine Hybride namens »Joi Choi«, die weiße Rippen besitzt und weniger schoßgefährdet ist als alle anderen Sorten. Sie kann also früher ausgesät werden. Temperaturen von weniger als 18, später 16 bis 15 Grad veranlassen die Pflanzen zum frühen Schießen, eher als Chinakohl.
Angebaut wird Pak Choi wie Chinakohl, aber mit engeren Pflanzabständen, 25 mal 25 cm oder 25 mal 20 cm. Diese Dichte hat den Vorteil, daß die Pflanzen schlank bleiben und ein Gewicht von 400 bis 500 g je Stück erreichen. Temperaturen von weniger als 18, später 16 bis 15 Grad veranlassen die Pflanzen zum frühen Schossen, eher als Chinakohl.
Es kommt deshalb auf die Saattermine an. Am besten sät man

zweimal. Die erste Saat Mitte Juli dient zur Ernte von Oktober bis November, die zweite in der letzten Juli- oder Augusthälfte zur Einwinterung. Gesät wird in Reihen von 30 cm Abstand direkt aufs Beet; in der Reihe werden die Sämlinge auf 30 cm vereinzelt, wenn Köpfe gewünscht sind. Zur Vorbeugung gegen Erdflöhe ist das Saatbeet gut feucht zu halten. Eine Kalkgabe oder Spezial-Kalkstickstoff, 100 g auf 1 m^2, 14 Tage vor dem Anbau, beugt dem Herniebefall vor. Als weitere Maßnahme sollte eine weitgestellte Fruchtfolge eingehalten werden. Von der Aussaat bis zur Ernte vergehen etwa 6 bis 9 Wochen, von der Pflanzung bis zur Ernte 4 bis 6 Wochen. Dadurch kann man der Neigung zum vorzeitigen Blühen an langen Tagen durch einen späteren Anbau entgehen.

Erntetermine bei Versuchen unter Flachfolie

Aussaat	*Pflanzung*	*Ernte*
15. Juli	5. August	14. September
1. August	25. August	6. Oktober
15. August	5. September	20. Oktober

Romanesco. Der grüne Blumenkohl aus Italien und Frankreich hat sich in Holland in den letzten Jahren auf eine halbe Million Köpfe ausgeweitet, bei uns setzt er sich jetzt erst durch. Die gelbgrüne Blume ist aus zahlreichen kleinen spitzen Türmchen zusammengesetzt und wird auch Minarettkohl oder Türmchen-Blumenkohl genannt.

Der Anbau ist nicht anders als beim Blumenkohl: Ausgesät wird im Frühbeet oder unter Glas ab April bis Anfang Juni im Freien, aber nicht zu spät. Die Samen werden breitwürfig oder in Reihen dünn verteilt und 0,5 cm mit Erde bedeckt. Nach 8 bis 14

Tagen bei 15 bis 22 Grad Celsius sind die Samen gekeimt. Nach 3 bis 4 Wochen wird im Abstand von 60 mal 50 cm in humosen, gut gedüngten Gartenboden in sonniger Lage ausgepflanzt. Vorher und ein- bis zweimal während der Kulturzeit ist zu düngen sowie reichlich zu wässern. Mischkultur mit anderen Arten ist möglich, nur Tomaten sollte man meiden. Romanesco wächst wie Blumenkohl und wird genauso zubereitet. Die Pflanzen bringen mittelgroße Köpfe hervor und sind sehr gut zum Tiefgefrieren (Blanchieren erforderlich) geeignet.

Rosenkohl. Die kleinen Köpfchen vom Rosenkohl sind neben Spargel und Champignons zur vornehmsten und teuersten Gemüsebeilage geworden. Weil er pikant schmeckt, viel Vitamine enthält und bis in den Winter hinein frisch zu ernten ist, lohnt sich der Anbau von Rosenkohl im Garten.

Die Reifezeiten lassen sich mit geeigneter Sortenwahl von Ende August bis Mitte März nächsten Jahres staffeln. Am frühesten festigen sich die dunkelgrünen, glatten Röschen von »Trimmer« zu hohen Erntemengen an langen Stielen, die leicht nach und nach abzuernten sind. Die Sprossen von »Oliver« stehen so weit auf Abstand, daß sie bequem von Anfang August bis Ende September nacheinander von unten nach oben gepflückt werden können. Sehr früh sind der halbhohe »Wilhelmsburger« und »Rosella«, dessen mittelgroße, rundovale, feste Rosen nicht frosthart sind, also spätestens bis Dezember abgeerntet sein müssen. »Hilds Ideal« gehört ebenfalls zu den ertragreichen, mittelspäten Sorten. Ab Ende Oktober reift »Lunet« sehr gleichmäßig, fest, glatt und dunkelgrün. Anfang November folgt »Citadel«, halbhoch und leicht zu pflücken, mit großen Mengen sehr dichter, fester, glatter, tiefgrüner Röschen. Zwei Wochen später ist»Rampart« so weit, seine hohen, kräftigen Stiele sind locker mit großen, sehr festen, runden Sprossen besetzt. Etwa gleichzeitig beginnt die Ernte bei dem starkwüchsigen, hohen »Vitar«, dessen Röschen rund, glatt und hart jedes Wetter aushalten. Noch frosthärter sind »Fortress« für Erntezeiten ab Dezember und die »Estate«-Hybriden ab Mitte Januar, selbst wenn es ziemlich kalt wird. Die Pflanzen sind mittelhoch und sehr standfest, sie tragen mittelgroße, hochwertige Röschen in durchschnittlichen, aber sicheren Mengen.

Den ersten Satz für die Augusternte pflanzt man Mitte Mai, den nächsten zur Herbsternte von Mitte bis Ende Juni. Die Standweite braucht nicht in jedem Falle 50 mal 70 cm zu betragen, die höchsten Erträge wurden bei enger Pflanzung von 60 mal 30 cm ermittelt. Wer früher ernten möchte, muß weiter pflanzen; je geringer die Standweite ist, um so später sind die Rosen erntereif.

Wie alle Kohlarten verlangt Rosenkohl viel Feuchtigkeit. Darüber hinaus stellt er an den Boden keine Ansprüche. Die Grunddüngung von 50 bis 60 g Kalkammonsalpeter auf 1 m^2 kann bei frühem Anbau maximal um 20 g gesteigert werden. Den Sommer über sieht man den Pflanzen an, ob sie noch eine weitere Kopfdüngung brauchen. Das ist nicht nur für die Ertragshöhe von entscheidender Bedeutung, sondern auch für die Qualität der Röschen.

Die Erntemenge läßt sich steigern, indem zwei- oder dreimal von unten beginnend durchgepflückt wird. Sind die unteren Knospen abgeerntet, wachsen die darüberstehenden besser nach. Umstritten ist, ob man die Pflanzen köpfen soll oder nicht. Zum richtigen Zeitpunkt um Mitte September, wenn die unteren Rosen rund 1 cm dick sind, führt das Köpfen zu gleichmäßiger Reife. Es kann helfen, falls die Achselknospen bis Oktober nicht ausreichend entwickelt sind. Aber im Garten kommt es gerade darauf an, daß der Rosenkohl nach und nach reif wird. Das rasche Wachstum, nachdem die Endknospe entfernt wurde, führt meist zu flattrigen Röschen. Es ist also im Garten eine

Notmaßnahme, die sich vermeiden läßt, wenn rechtzeitig gepflanzt und ausreichend gedüngt wurde.
Rosenkohl wird frosthärter, wenn er eine späte Kaligabe von 20 bis 30 g auf 1 m^2 erhält. Dann kann man von dieser Fläche 3 kg Rosen ernten, auch wenn es friert und schneit. Rosenkohl verträgt 12 Grad unter Null, ohne Schaden zu nehmen. Diese Marke kann im Januar erheblich unterschritten werden.

Wurzelgemüse

Große Unterschiede gibt es zwischen den einzelnen Gemüsearten, deren Wurzeln und Knollen verwertet werden. Mit weitem Abstand an der Spitze stehen die Möhren mit 10 Prozent der gesamten Gemüseanbaufläche im Bundesgebiet. Auch Knollensellerie hat mit 3 Prozent noch einige wirtschaftliche Bedeutung. Sie geht auf die Hälfte bei Roten Beten und Rettichen zurück, die nur noch regional in Erscheinung treten.
Radieschen stehen nur noch mit 6 Prozent der Unterglasfläche im gewerblichen Anbau, während Schwarzwurzeln und Wurzelpetersilie so geringe Flächen bedecken, daß sie in der Statistik nicht mehr ausgewiesen werden. Und diese kleinen Mengen werden nahezu ausschließlich für die industrielle Verwertung angebaut.
Der Anbau im eigenen Garten lohnt sich also, selbst wenn nur kleine Stücke Grabeland dafür freigehalten werden können. In den folgenden Kulturanleitungen werden nicht nur die echten Wurzelrüben erfaßt, sondern auch alle Knollengemüse, außer der Stengelknolle des Kohlrabis, denn der ist in erster Linie ein Kohlgemüse.
Der Knollenfenchel ist zwar als Doldenblütler ein Kapitel für sich, denn er bildet botanisch gesehen nur eine Scheinknolle. Hier aber soll es allein um die praktische Behandlung im Garten gehen, und deshalb findet er sich lieber bei den Knollengemüsen.

Fenchel. Im Garten gedeiht dieses Gemüse in warmer Umgebung, in leicht erwärmtem, mittelschwerem Gartenboden, der humos ist und für ein gutes Wachstum die notwendigen Nähr-

stoffe besitzt. Bevor der Samen in den Boden kommt, wird 50 g Volldünger auf 1 m^2 ausgestreut, nach etwa 3 bis 4 Wochen gibt es noch mal 40 g mineralischen Stickstoffdünger pro 1 m^2. Die schoßfeste Sorte »Zefa Fino« macht den Anbau bereits ab Mitte April, am besten unter einer Folien- oder Vliesabdeckung, möglich. Sie kann bis Ende Juni direkt an Ort und Stelle gesät oder gepflanzt werden. Für Folgesätze eignen sich »Latina«, »Zefa Tardo«, »Perfektion« und »Sirio«.
Gesät wird im Juli mit einem Reihenabstand von 40 cm; sobald die Sämlinge groß genug sind, vereinzelt man auf 20 bis 25 cm in der Reihe. Wer im Frühjahr unter Glas ausgesät hat, muß bei der Pflanzung ins Freiland denselben Standraum einhalten. Die weitere Pflege beschränkt sich auf regelmäßiges Wässern und Hacken. Haben die Knöllchen die Größe einer Zwiebel, wird mit Erde angehäufelt, so bleiben sie weiß und zart.
Geerntet wird im September; denn alle Knollen sollten Ende Oktober/Anfang November aus der Erde sein. Ist das nicht der Fall, wird mit Laub abgedeckt oder man nimmt sie aus der Erde, schlägt sie in Sand ein und stellt die Kisten in einem frostfreien, kühlen und luftigen Raum auf. Vor der Zubereitung werden die äußeren Blätter entfernt; kleine Herzblättchen bleiben stehen, sie können mitverwendet werden. Der Geschmack der Knolle ist kräftig-aromatisch, ähnlich wie Anis. Die Knollen sind nicht nur energiearm, bekömmlich und leicht verdaulich, sondern enthalten viel Vitamin C (31 mg pro 100 g).

Knollenziest. In chinesischen und japanischen Gärten ist der Knollenziest, auch Japankartoffel genannt, keine seltene Gemüseart; in Frankreich und England findet man ihn häufig, denn der Anbau bereitet keine Schwierigkeiten. Gelegt werden die Knollen ab April zu dritt in etwa 10 cm tiefe Rillen mit einem Abstand von 40 bis 50 cm und in der Reihe von 30 cm. Damit sie schnell wachsen, gibt man ihnen einen nährstoffreichen,

nicht zu festen Boden und vor der Pflanzung 40 bis 50 g Volldünger auf 1 m^2. Die Japaner bauen dieses Gemüse neben dem Komposthaufen an, um die Düngergabe zu sparen. Auf normalem Gartenboden gibt es noch mal eine Kopfdüngung von etwa 30 g auf 1 m^2 Ende Juni/Anfang Juli.
Knollenziest verlangt während der Wachstumszeit keine großen Pflegearbeiten, den Boden muß man nur zwischen den Reihen locker halten und das Unkraut jäten. Gewässert wird regelmäßig, damit die Pflanzen nicht welken. Geerntet wird von Oktober bis Februar. Von allzu früher Ernte ist abzuraten, da die Knollen bei Wachstumsende nochmal Nährstoffe aus den vergilbten Blättern ziehen. Vor dem ersten Frost legt man eine etwa 15 bis 20 cm hohe Laubdecke auf, so daß den Winter über geerntet werden kann.
Die Knollen werden wie Spargel gekocht und mit Butter zubereitet. Ihr Geschmack ist nicht besonders intensiv. In der japanischen Küche legt man die kleinen Knöllchen ein oder ißt sie mit japanischer Soße.

Möhre. Feine Möhren gehören zum Köstlichsten, was der Garten zu bieten hat. Sie gedeihen in jedem gepflegten, humosen, gut gelockerten Boden mit ausreichendem Kalkgehalt. Da die vorhergehende Kultur am Humus- und Nährstoffvorrat zehrt, füllt man ihn mit Humusdünger auf, den man ungefähr zweifingerbreit hoch auf das zu bestellende Beet streut und oberflächlich einarbeitet. Vorher feuchtet man den Torfmischdünger an, damit er dem Boden nicht Wasser entzieht und die Möhren das Nachsehen haben. Möhrensaat muß ständig feuchtgehalten werden, wenn es nicht regnet. Außerdem wird der Samen vor der Aussaat 24 Stunden in Wasser gelegt. Dann hat er sich so mit Wasser vollgesogen, daß er schneller keimt.
Für jede Folgesaat muß die richtige Sorte ausgewählt werden. Runde und kurze Sorten eignen sich für frühe Ernten, so bei-

spielsweise »Pariser Markt«, »Duwicker« oder »Gonsenheimer«. Je nach Witterungsverlauf können diese Sorten bereits ab Ende Februar ausgesät werden; ihre Hauptaussaatzeit ist März. Der Sommerbedarf wird im April ausgesät, wobei lange Sorten wie »Marktgärtner« und »Nantaise« bevorzugt werden. Ein drittes Mal sät man im Juni, auch hierfür eignet sich »Nantaise«.

»Pariser Markt«, eine alte bekannte Frühsorte, braucht von der Saat bis zur Ernte 60 bis 75 Tage. Sie schmeckt gut und ist deshalb als runde Möhre überall beliebt. Vom Typ »Pariser Markt« gibt es einige frühe, runde Sorten wie »Konfrix«, »Kundulus«, »Parabell«, »Koralle« und »Parmex«. Sie sind durchweg nicht grünköpfig. Eine längliche Sorte mit früher Reifezeit ist »Amsterdamer Treib«. Die alte Frischmarktsorte ist inzwischen ebenfalls in viele Selektionen aufgespalten, die bekannt sind als »Amsel«, »Finette« oder »Twiggy«. Im Freiland ist ihr Laub mittel bis kurz, mittel bis fein gefiedert, sein Ansatz kaum eingesenkt. Die Rüben sind mittel bis lang und schmal zylindrisch, das untere Ende ist stumpf, rötlich orangefarben, das kleine Herz gleichfalls, die Rinde schwach geringelt und kaum grünköpfig. »Gonsenheimer Treib« ist als Auswahl »Juwaselekt« kurzlaubig (für das Frühbeet), eine halblange Rübe mit stumpfem Ende, nicht grünköpfig, das Herz gleichfarben. Hochfein ist »Hofmanns Signal«, durch und durch intensiv gefärbt, ohne Herz, ohne grünen Kopf und hohe Schultern. Noch feiner ist die Hochzuchtsorte »Hofmanns Signal«, da sie durch und durch intensiv gefärbt und ohne Herz ist. Herzen sind bei Möhren nicht gefragt, auch nicht hochgezogene Schultern, wie sie »Pariser Markt« am Stielansatz entwickelt, weil sie das Putzen wesentlich erschweren.

Eine Gesundheitsmöhre mit besonders hohem Karotingehalt ist die intensiv orangerote »Juwarot«. Aus den mittelfrühen, bis 18 cm langen, breitschultrigen und am unteren Ende abge-

stumpften Rüben wird ein vorzüglicher Möhrensaft fürs Kleinkind und zur Genesung gewonnen.
Späte Möhrensaaten sind bis zum 15. Juli möglich, sie schenken die schmackhaftesten, zartesten Möhren des ganzen Jahres. Für späte Aussaaten eignen sich frühe Sorten mit kurzer Wachstumszeit, die nicht gelagert werden können. Ausgesät wird dünn und gleichmäßig. Damit sich die Samenkörner gut verteilen, vermischt man sie mit feinem Sand. Gleichzeitig fügt man einige Radieschensamen hinzu, die schnell keimen und so die Reihen markieren, damit frühzeitig gehackt werden kann. Wenn die Möhrenkeimlinge sichtbar geworden sind, können die Radieschen bereits geerntet werden. Aus demselben Grund sät man eng, wenn man viele kleine, zarte Möhren ernten möchte. Aus den Reihen werden die größten Wurzeln gezogen, so daß die verbleibenden ungestört weiterwachsen können. Die richtigen Abstände liegen bei runden und kurzen Sorten um 5 cm, bei halblangen um 10 cm. Da flach ausgesät wird, sollte man die Saat fest anklopfen, damit ein guter Bodenschluß hergestellt wird. Möhren müssen zügig wachsen, damit ihr Wurzelkörper zart bleibt. Volldüngergaben fördern die weitere Entwicklung. Bei frühen Sorten streut man im Mai oder Juni 15 bis 20 g Volldünger auf 1 m^2. Mehr sollte man nicht geben, weil sie salzempfindlich sind. Deswegen wird empfohlen, unmittelbar nach dem Ausstreuen des Düngers reichlich zu wässern.

Pastinake. Die Hammelmöhre ist ausgesprochen würzig als Wurzelgemüse und in Salaten, selbst das Laub läßt sich zum Würzen verwenden. Was sie heute so interessant macht, ist nicht allein der kräftige Geschmack, sondern ihr geringer Nitratgehalt in der Frischsubstanz, ganz gleich wie stickstoffhaltig der Boden sein mag. Auf den ersten Blick könnte man sie mit Petersilienwurzeln verwechseln. Die weißen Rüben schmecken wie Möhren, aber intensiver und süßer. Sie enthal-

ten mehr Vitamine und Mineralstoffe als Möhren. Viele Jahre gab es nur eine Sorte bei uns, die »Halblange Weiße«, während in Großbritannien 20 Selektionen angebaut werden. Sie sind von der Bayerischen Landesanstalt für Wein-, Obst- und Gartenbau in Veitshöchheim auf Ertrag und Schoßfestigkeit untersucht worden. Dabei ergaben sich erheblich höhere Erntemengen als bei unserer Uraltsorte. Es wäre deshalb zweckmäßig, englisches Saatgut einzuführen wie von »White Diamond«, »White Germ«, »Harris Model« oder »Bedford Monarch«. Aber auch beim importierten Saatgut gibt es krasse Unterschiede: Sorten wie »Hollow Crown« und »Tender and True« schießen bis zu 30 Prozent und mehr, so daß nicht einmal 400 dt/ha Erntemenge zusammenkommen, davon ein großer Teil als Seitenwurzeln. Empfehlenswert sind dagegen »White Gem« und »Harris Model«.
Es kommt auf die richtige Sortenwahl an, wenn im Frühjahr ausgesät wird. Frühe Saaten bringen die Rüben auf ein Durchschnittsgewicht von fast 0,5 kg, spätere nur auf die Hälfte davon. Als Reihenabstand reichen 30 cm, auch wenn im Feldbau 40 bis 50 cm vorgezogen werden, 10 bis 15 cm müssen die Pflanzen auseinandergehalten werden. Die Samen legt man 3 cm tief. 4 bis 5 Wochen brauchen sie um aufzugehen. Mehr als normalen Gartenboden und 30 g Startvolldünger auf 1 m^2 verlangen sie nicht bis zum Spätherbst. Nur wenn es gar nicht regnet, kann eine Wassergabe die Schießneigung verringern. Die Rüben sind frosthart, könnten also ohne weiteres über Winter in der Erde bleiben. Besser ist es aber, sie vor dem Frost im Keller in feuchten Sand einzuschlagen.

Radieschen. Radieschen sät man als Füller zwischen Hauptkulturen, da sie schon nach sechs Wochen erntereif sind und mit ihren kurzlaubigen Sorten selbst dann noch wenig Platz einnehmen. In den Mischkulturen spielen sie eine große Rolle. Der

Raum zwischen langsam wachsenden Kulturen kann durch ihren Anbau am besten genutzt werden, wenn die richtigen Nachbarn gewählt werden: Erbsen, Erdbeeren, Kohlarten, Mangold, Petersilie, Spinat; ungünstig wirkt sich die Mischkultur mit Gurken und Zwiebeln aus.

Für den Frühanbau ab Februar unter Folie wählt man Sorten wie »Cherry Belle«, die kurzlaubig und mittelschnell runde bis hochrunde Knöllchen ausbildet, die nicht schnell pelzig werden. Kurzlaubige Frühsorten sind weiter »Guxhagen«, »Poky«, »Juwasprint«, »Juwabel«, »Rota« und »Ribella«, durchweg pelzfest, weißfleischig, gleichmäßig rund und rot. Für Freiland, unter Glas oder Folie im Frühjahr und Herbst eignet sich »Rondar« mit leuchtendroten, mittelgroßen Knollen bis zu 3 cm Durchmesser.

Im Freiland folgen »Marabelle«, kurzlaubig, kugelrund, leuchtend rot, platz- und pelzfest; »Raxe«, fest und groß, bis zu 6 cm Durchmesser; »Rondeel« wird leuchtend rot bis zu 5 cm dick, platzt und pelzt nicht. Diese beiden können durchgehend bis in den September gezogen werden, während Frühsorten eine Sommerpause brauchen. Für den Sommer empfehlen sich »Parat«, »Riesenbutter«, »Sora« und ein »Rundes halbrot-halbweiß«. Die »Eiszapfen« sind lang und weiß, raschwüchsig mit einem kurzlaubigem Stamm 10 bis 12 cm lang.

Je sorgfältiger ausgesät wird, um so höher ist der Anteil makelloser Knollen. Den Reihenabstand wählt man zwischen 10 und 12,5 cm und legt die Körner bei runden Sorten höchstens 1,5 cm, besser nur 1 cm tief, halblange nicht tiefer als 2,5 bis 3 cm. Je flacher die Körner runder Sorten liegen, um so besser gedeihen sie; die Wurzelknollen werden einheitlicher rund und sind früher erntereif. Vor allem bei naßkalter Witterung sind die Ausfälle bei zu tiefer Saat beträchtlich. Als Markiersaat zwischen langsam keimenden Gemüsearten wie Möhren oder Petersilie zeigen sie nach wenigen Tagen mit ihren herzförmigen Keimblättern, wo es auf den Beeten langgeht. So kann gehackt werden, bevor die Hauptkultur aufgegangen ist. Bis diese dann allen Platz für sich selber braucht, sind Radieschen erntereif. Da sie oberflächlich im Boden stecken, kann man sie ziehen, ohne die Wurzeln der Hauptkultur zu lockern.

Leider welken Radieschen schon wenige Stunden, nachdem sie aus der Erde gezogen worden sind, so daß sie richtig knackfrisch und butterweich nur aus dem eigenen Garten kommen. Mit Folgesaaten im Abstand von 14 Tagen auf jeweils 1 m^2 sorgt man dafür, daß immer frische Radieschen auf dem Tisch sind. Den besten Erfolg erzielt man, wenn sie an einem sonnigen Standort wachsen können; denn im Schatten werden die Wurzeln lang und bilden keinen fleischigen Körper aus.

Bei Trockenheit muß sofort gewässert werden. Nach Ausbildung der Keimblätter gießt man eine Nährsalzlösung von 20 g Volldünger auf 10 l Wasser, falls die Radieschen nicht in Zwischenkultur stehen.

Radieschen sind erntereif, wenn die Wurzelknolle 2 bis maximal 3 cm dick ist. Sie wird noch umfangreicher, aber sie schmeckt dann nicht mehr so scharf, wird pelzig und fade.

Rettich. Im frischen Rettich sind die Mineral- und Vitamingehalte hoch: 45 mg Karotin und 33 mg Vitamin C in 100 g, zudem Spuren von B_1 und B_2, Niacin, Eisen, 245 mg Kalium, 25 mg Kalzium, 22 mg Phosphor und 14 mg Natrium. Damit regt er den Appetit an, steigert den Gallenfluß, heilt Störungen der Gallenfunktion und treibt den Harn. Wichtig ist, daß der »Radi« noch fest im Fleisch ist, da er dünn geschnitten oder geraspelt nur leicht gesalzen wird.

Rettich stellt keine Ansprüche an das Klima, wohl aber an den Boden. Er sollte humos, sandig und tiefgründig sein. Das Nährstoffbedürfnis ist anfangs gering, später steigt es mit der Rübenbildung an, wobei die Frühsorten halb so viel brauchen wie die

Spätsorten. Die Nährstoffmengen betragen bei Stickstoff 60 g auf 1 m^2 für Frühsorten, 80 bis 100 g für Spätsorten, bei Phosphorsäure 40 g und 80 g, bei Kali 90 g und 120 g bis 150 g. Wenn Volldünger gegeben wird, läßt sich aus diesen Zahlen nach dem jeweiligen Prozentsatz ausrechnen, wie groß die Düngermenge sein muß. Unter den Stickstoffdüngern bevorzugt Rettich Salpeter. Wenn Rettichschwärze auftritt, streut man möglichst sauer wirkende Mineraldünger. Kalkhaltige Düngemittel sind zu meiden. Stickstoffdünger unterteilt man in zwei oder drei Gaben, eine gibt man vor der Aussaat, die restlichen als Kopfdüngung. Die Düngewirkung erhöht sich, wenn die Nährsalze nach dem Ausstreuen sofort eingeregnet werden.

Rettich wird unmittelbar auf das freie Land gedippelt (mehrere Samen auf eine Stelle), je Saatstelle werden zwei bis drei Körner etwa 2 bis 3 cm tief gelegt. An jeder Saatstelle bleibt nach dem Vereinzeln die kräftigste Pflanze stehen. Damit der Rettich auch knackig, frisch und herzhaft wird, kommt es auf die richtige Sortenwahl an. Treib- und Frühsorten kann man ab Januar in Folgen säen. Dazu gehören »Benarys Reform«, »Münchener weißer Treib und Setz« und »Schifferstädter Mai«. Sie bringen innerhalb von sechs bis acht Wochen kleine bis mittelgroße Rüben, die nach der Erntereife pelzig werden. »Ostergruß rosa« (Stamm Rino) ist eine verbesserte, lange Form, die sich besonders schnell entwickelt.

Sommer-, Herbst- und Wintersorten brauchen länger, sie sind widerstandsfähiger gegen Hitze und Trockenheit und lange nicht pelzig. Für den Sommer stehen auf der Bundessortenliste »Halblange weiße Sommer«, »Fridolin Braun«, »Milder September«. »Mainkrone« ist als Sommer- und Herbstrettich brauchbar. Die Sorte kann eng gesät werden, weil das Laub straff aufrecht steht, so daß es wenig Platz beansprucht. Die Rüben bleiben im Boden, werden also nicht grünköpfig. In zwei Monaten sind sie ausreichend fest, mittelscharf und selbst in sommerlicher Hitze kaum pelzig. »Relish Cross« für Herbstanbau entwickelt sich schneller zu langen Rüben, die sich über der Erde hellgrün färben und mild würzig schmecken. »Münchener Bier« ist ein beliebter, weißer, fleischiger, ovaler Herbstrettich. Der »Runde Schwarze« und »Lange Schwarze Winter« sind robust genug, um zu überwintern. Während der ganzen Saison kann »House King« gesät werden, so schoßfest sind die mittellangen, sehr festen, gesund scharfen Rüben.

Ausgesät wird Herbstrettich Anfang Juli, Winterrettich Ende Juli. Die Reihenabstände liegen bei beiden Retticharten zwischen 20 und 30 cm, der Abstand in der Reihe um 15 bis 20 cm, der Saatgutbedarf beträgt etwa 0,5 g auf 1 m^2. Das sind rund 60 Körner, die nach 8 Tagen keimen, wenn die Saattiefe von 1,5 bis 2 cm eingehalten wird.

Da es um diese Jahreszeit trockene Zeiten gibt, ist regelmäßig zu wässern und wiederholt zu hacken, damit der Boden nicht verschlämmt und das Unkraut kleingehalten wird. Zu enger Stand führt ebenso wie Wassermangel zur Schosserbildung. Etwa 10 bis 14 Tage nach dem Auflaufen streut man auf den Quadratmeter 20 g Volldünger.

Das größte Aufsehen der letzten Jahre erregten die japanischen Super-Rettiche vom Minowase-Typ wie »April Cross«, »Sommer Cross«, »Silverstar« und andere. Sie werden in 60 bis 65 Tagen 40 cm lang, 5 bis 6 cm dick, glatt und weiß. Trotzdem schmecken sie mild und würzig zugleich.

Rote Bete. Rote Rüben haben dunkelrote, gelbe und weiße Rübenfarben. In der Bundessortenliste sind zwei Namen eingetragen: »Albina Vereduna«, Rübenfarbe Weiß; »Burpees Golden Burpee«, Rübenfarbe Gelb. Von den roten Sorten bieten »Boltardy«, »Dardani« und »Libero« den höchsten Ertrag. Danach folgen »Marner Halanga«, »Nobol«, »Rote Kugel« und »Rotor«.

Die bekannteste Sorte ist »Rote Kugel« mit verbesserten Spezialzuchten wie »Juwakugel«, die mit ihrem verfeinerten, purpurroten Fleisch ohne Ringe zu den besten für den Kleinanbau gehört. Vom gleichen Typ ist »Monotyp« für spätere Aussaaten zwischen Mitte Mai und Anfang Juli, blutrot, ringfrei, glatt und rund. Das wichtigste aber ist, daß aus jedem Samenknäuel nur eine Pflanze wächst.

Von »Amigo« der AWP-Pflanzenzucht werden 40 bis 50 Pflanzen auf 1 m^2 gesät. Sollen die Rüben kleiner bleiben, wird erheblich dichter gesät, bis zu 250 g Saatgut auf 1 m^2. Abhängig von der erwünschten Knollengröße ist ebenso der Pflanzabstand, der bei frühen Sätzen mit 60 bis 80 Pflanzen einen Rübendurchmesser von 5 cm ergibt. Die kugelrunden Rüben haben eine einheitlich dunkelrote Farbe mit kaum erkennbaren Ringen und eine glatte Haut mit glänzend dunkelroter Oberfläche. »Amigo« ist schoßfest und kann deshalb sehr früh gesät werden: im Haus Ende Februar/Anfang März bei einer Keimtemperatur von 18 Grad, für die Weiterkultur braucht sie 12 bis 14 Grad. Ausgepflanzt ins Freiland wird zwischen Ende März und Anfang April unter Folie.

Gesät wird ins Freiland zwischen Mitte April und Juni. Je nach Aussaatzeit kann von Mitte Mai bis Juli im Abstand von 30 mal 10 cm gepflanzt werden, etwa nach vier Monaten beginnt man mit der Ernte. Ende Februar bis Mitte Juli werden Folgesaaten im Abstand von 20 bis 30 cm 3 cm tief ausgelegt und auf 10 cm verzogen. Vorgezogene Pflanzen werden ins Freiland gesetzt, sobald sie 10 cm hoch sind. Sollen die Roten Rüben eingelagert werden, ist Mitte Oktober Erntezeit. Sie werden von Hand ausgezogen, wobei man vermeidet, die Rüben zu verletzen, sonst können sie ausbluten. Daher wird der Boden mit der Grabegabel gelockert, leicht herausgehoben, die Erde wird abgeschüttelt und das Laub abgedreht. Im Keller deckt man feuchten Torf darüber.

Schwarzwurzel. Schwarzwurzeln wachsen praktisch von selbst, wenn der Boden humusreich und tief gelockert ist. Werden Zwiebeln zwischen den Reihen gezogen, halten sie Wühlmäuse fern. Im August oder September wird zwischen den Reihen Feldsalat ausgesät. Bevor Frost und Schnee das Beet zudecken, überbaut man es mit einer Plastikfolie. Es genügt, wenn kräftige Balken auf den Boden gelegt werden, über die die Folie genagelt wird. Zuvor wird das Kraut abgeschnitten, so daß ein kurzer Schopf stehenbleibt.

Mit dem Spaten werden die Wurzeln gelockert und leicht angehoben. Da Feldsalat ein Flachwurzler ist, wird er dadurch kaum beeinträchtigt. Es hat sich gezeigt, daß bei Frost bis 7 Grad Celsius der Boden unter der Folie nicht gefriert. Es kann also jederzeit mühelos geerntet werden. Sinkt das Thermometer tiefer, macht das nicht viel. Zwar gefriert die Erde, aber die Wurzeln lassen sich trotzdem leicht herausnehmen. Und der Feldsalat kann jederzeit geschnitten werden.

Fast alle Gemüsearten stellen an Klima, Boden und Pflege höhere Ansprüche als die Schwarzwurzeln. Sie gehören zum Feinsten, was der Garten für die Küche zu bieten hat. Während man früher im zweiten Jahr ernten konnte, sind die neuen Sorten bereits im Herbst fertig, wenn sie zeitig genug ausgesät wurden. Schon der Name »Einjährige« sagt das deutlich. Die Wurzeln von »Hoffmanns Schwarze Pfahl« sind meist glatt, lang, mittel bis dick. Diese beiden Sorten sind die einzigen der Bundessortenliste.

Ihre Qualität wird um so besser, je später im Jahr sie geerntet werden. Bei Versuchen stellte sich heraus, daß erst Ende November der Anteil erster Qualität am höchsten ist. Einen Monat früher ist die Erntemenge um 15 Prozent geringer, auch die Qualität der Wurzeln nimmt im letzten Monat kräftig zu. Den höchsten Ertrag erzielt man, wenn 50 Pflanzen auf 1 m^2 stehen. Die Zahl der Schosser hängt hauptsächlich von der Her-

kunft des Saatgutes ab, auch Zeit und Menge des Ertrages sind sorteneigentümlich. Ausgesät wird frühestens im Februar oder März. Die Wurzeln wachsen in jedem normalen Gartenboden, der bis 30 cm gelockert ist. Die Entfernung zwischen den Reihen beträgt 30 bis 40 cm, die Saattiefe 2 bis 3 cm. Den höchsten Ertrag erzielt man mit zwei Volldüngergaben im Juni und August.
Um unversehrte Stangen zu ernten, hebt man neben der ersten Reihe einen Graben aus, der etwa 50 cm tief ist. Dann sticht man vorsichtig mit der Grabegabel hinter die Reihe tief in die Erde und kippt die Pflanzen behutsam in den Graben. Dort lassen sie sich ohne Verletzungen und Verluste einsammeln. Bei engen Abständen kann man anschließend Reihe für Reihe hintereinander umkippen und einsammeln. Im Keller werden sie wie andere Wurzelgemüse behandelt.
Bei der Hausfrau sind die schwarzen Wurzeln nicht sehr beliebt, weil der gelbliche, kautschukartige Milchsaft die Finger braun färbt. Das läßt sich vermeiden, wenn man sie unter fließendem Wasser mit Gummihandschuhen abbürstet und anschließend schält. Der wohlschmeckende Winterspargel enthält viele Mineralstoffe und einige Vitamine und ist leicht verdaulich.

Speiserübe. Die weißen Rüben gehören in einigen Ländern zum Köstlichsten, was die Küche zu bieten hat. Sie sind nicht immer weiß, sondern äußerlich gelb oder rot, innen gelb oder weißlich. Sie werden in vier Gruppen eingeteilt: 1. Mairüben, 2. Herbstrüben, 3. Zwergspeiserüben wie Teltower Rübchen, 4. Rübstiel, das aus dichtgesäten Mai- und Herbstrübensorten mit aufrecht wachsendem Laub herangezogen wird. Für die Herbstrüben kommt nur Herbstanbau in Betracht. Es gibt runde, plattrunde, halblange und lange Sorten. Die bekanntesten Mairüben sind »Goldball« und »Schneeball«; neuer ist »Market Express«, weißfleischig, wohlschmeckend, sehr früh; innerhalb

von 30 bis 50 Tagen wird sie bis zu 5 cm dick, ist gesund und schoßfest. Ebenfalls sehr früh, schon innerhalb von 30 Tagen, ist »Tokyo Cross« mit 5 cm ausgewachsen; die glatten, runden, schneeweißen, ausgezeichnet schmeckenden, butterweichen Rüben wachsen weiter, bis sie 15 cm dick sind.
Im Garten nimmt man Speiserüben als Zwischenfrucht. Sehr gut wachsen Herbstrüben nach Dicken Bohnen, Erbsen, Buschbohnen oder als Zwischenkultur in Kartoffeln. Die Aussaat zieht sich durch den Juli bis zum 10. August hin. Bei beetweiser Kultur beträgt der Reihenabstand je nach Sorte 20 bis 40 cm. Später verzieht man auf 15 bis 20 cm. Pflanzung kommt bei Herbstrüben nicht in Frage, weil sie schlecht anwachsen. An Saatgut sind 1 g auf 1 m^2 nötig.
Speiserüben vertragen keinen Stickstoff; denn er mindert den Geschmack der Rüben und schiebt die Ernte hinaus, so daß die sonst harten Pflanzen kälteempfindlich werden. Deshalb gibt man vor der Saat einen Volldünger mit hohem Kalianteil in den angegebenen Mengen. Herbstrüben liefern herzhafte, schmackhafte Gerichte.

Topinambur. Im Garten sollte diese Knolle wieder einen Platz bekommen, denn die Sonnenblumenpflanze stellt keine großen Ansprüche an Boden und Pflege und kann zugleich als Zier- und Gemüsepflanze verwendet werden. Gelegt werden Topinambur-Knollen im April oder Herbst einzeln oder zu zweit, wenn es kleine Knollen sind, in einen 10 bis 12 cm tiefen Graben. Der Abstand zwischen den Rüben beträgt etwa 80 cm und der in der Reihe 35 cm. Für ein gutes Wachstum sorgen bis zur Ernte eine einmalige Volldüngergabe von 15 bis 20 g auf 1 m^2 und Wasser, wenn es nicht regnet.
Wurde im April gelegt, kann im Oktober geerntet werden. Man nimmt jeweils nur so viel Knollen, wie man für die Küche braucht, die restlichen können im Boden bleiben, wenn sie

unter einer Laubdecke geschützt sind. Bei der Ernte sollte man auch die kleinsten Knöllchen aus dem Boden nehmen und sie als Pflanzware bis zum nächsten Frühjahr aufbewahren. Im Herbst gelegte Topinambur sind bis Mai für die Küche verwertbar.

Topinambur ist von den Inhaltsstoffen her mit der Kartoffel vergleichbar, enthält aber mehr Kalzium, Eisen und Phosphor. Vom Verzehr größerer Mengen ist abzuraten, da Topinambur als Stärke das Inulin enthält. Interessant ist dieses Gemüse allerdings für Diabetiker, denn wegen des Inulingehaltes wird es mit nur wenigen Broteinheiten berechnet.

In der Küche werden die Knollen wie Kartoffeln verwendet, man braucht aber die Schale nicht zu entfernen. Es reicht, wenn sie unter fließendem Wasser abgebürstet wird. Dem Kochwasser gibt man einige Spritzer Zitronensaft hinzu. Die Kochzeit beträgt nur 5 bis 10 Minuten.

Yamswurzel. Die chinesische oder japanische Kartoffel wird auch Batate genannt. Die Süßkartoffel wächst wie die Kartoffel unter der Erde. Ihre Knollen sind faustgroß, rundlich oder länglich, das Ende ist spitz. Die Schale färbt sich gelblich bis purpurrot, der Geschmack ist mehlig-süßlich. Verwandt ist die Batate, die bei uns in den letzten Jahren immer mehr Freunde gewinnt, mit Yam und Maniok.

Batate-Knollen legt man Ende April, Anfang Mai in angefeuchteten Torf bei einer Temperatur von 20 bis 25 Grad Celsius, wenn es warm genug ist, im Freiland, ansonsten unter Glas. Sobald die Sprosse genug Wurzeln gebildet haben, werden sie von der Knolle abgetrennt und draußen mit einem Abstand zwischen den Reihen von 100 cm und in der Reihe von 30 bis 35 cm in lockeren, warmen Boden, den man vorher mit 25 g Volldünger auf 1 m^2 gefüttert hat, verpflanzt. Eine Kopfdüngung gibt es wenige Wochen später, damit die Pflanzen gut gedeihen.

Sommersalate: 1 Roter Eichblattsalat, 2 Römersalat, 3 Eissalat, 4 Gelber Eichblattsalat, 5 Roter Kopfsalat, 6 Pflücksalat ›Salli‹, 7 Pflücksalat ›Lollo rosso‹, 8 Grüner Kopfsalat

Herbstsalate: 1 + 2 Frisee-Endivien, 3 Endivien ›Jeti‹, 4 + 10 Radicchio, 5 Chicorée, 6 Zuckerhut, 7 Zichorien, 8 Chinakohl, 9 Knollenfenchel

Gurke ›Bush Champion‹

Zuckermelone ›Sperlings Honigtopf‹

Paprika ›Golden Bell‹

Mangold ›Feurio‹

Löwenzahn

Brunnenkresse

Fleischtomate ›Super Marmande‹

Buschbohne ›Royal Burgundy‹

Brokkoli ›Pakman‹

Blumenkohl ›Violetta di Sicilia‹

Extreme wie trockenen und patschnassen Boden lieben Bataten überhaupt nicht, gleichmäßige Feuchtigkeit trägt zum guten Gelingen ebenso bei wie Wärmegrade um 20 Grad Celsius.
Geerntet werden die Knollen der Süßkartoffeln, sobald das Laub sich gelb färbt. Danach läßt man sie zwei bis drei Tage abtrocknen. Für den nächsten Anbau hält man einige Knollen zurück. Süßkartoffeln können wie Salzkartoffeln gekocht oder in Folie gebacken werden. Dazu werden sie geschält oder in der Schale auf einer Gabel mehrmals eingestochen und mit Öl bepinselt. Aus gegarten Bataten kann man Püree machen, indem man die Knollen stampft und mit Butter, warmer Milch, Salz und Pfeffer abschmeckt.

Fruchtgemüse

In Kaliforniens Supermärkten und den feinen Pariser Delikateßläden hat es angefangen: Hausfrauen und Küchenchefs wählen immer öfter Liliputgemüse. Seit einiger Zeit gibt es das kleingehaltene Fruchtgemüse auch auf deutschen Wochenmärkten. Eine gesicherte Erfahrung sagt dazu : Was heute in der Küche bevorzugt wird, wächst morgen auch im privaten Garten. Gute Gründe dafür gibt es genug. Die kleinwüchsigen Fruchtgemüse schmecken meist besser. Versuchsanbau mit Nostranogurken im Schweizer Wädenswil hat erwiesen, daß die 20 cm kurzen, dunkelgrünen Frischmarktgurken »im Geschmack wesentlich kräftiger sind als die üblichen Hausgurken«. Die Gartenzwerge unter den Gemüsearten sind mit weniger Platz auf den schmal gewordenen Beeten zufrieden, ja, sie lassen sich ohne weiteres in Kübeln und Kästen auf dem Balkon oder Fensterbrett heranziehen.

Dabei stellte sich in wissenschaftlichen Versuchen heraus, daß beispielsweise die kleinen Kirschtomaten im Ertrag keineswegs unter den großfrüchtigen Sorten liegen, und im Geschmack übertreffen sie die gewohnten Glastomaten aus Importen bei weitem. Mini-Salatgurken sind auf Stück- und Gewichtserträge untersucht worden und brachten zumindest befriedigende Mengen: Vom 12. Juni bis 27. August wurde zweimal in der Woche geerntet. Im Durchschnitt brachte jede Pflanze 29 Gurken oder 12,4 kg von einem Quadratmeter. Für den Garten ist das Spitze.

Ein weiteres Argument für kleinere Erntemengen, die nacheinander reifen, kommt hinzu: Für gewerbliche Zwecke ist die Ein-

malernte das absolute Muß, um die Kosten für Arbeitskräfte zu senken. Im Garten sollte auf einmal nicht mehr geerntet werden, als jeweils für eine Mahlzeit gebraucht wird. Zwerggemüse aus dem eigenen Garten vermittelt zugleich das gute Gefühl, daß nicht zuviel gedüngt worden ist und keine anderen Rückstände darauf zu befürchten sind.
Ein weiterer Trend ist erkennbar: Fremdartige, exotische Fruchtgemüse gewinnen Gartenland. Ein bekanntes Beispiel sind die Zucchini, deren Importe sich binnen fünf Jahren verdoppelt haben. Seit zehn Jahren gehören sie zum Standardsortiment in unseren Gärten. Noch ausgefallener ist ein anderes Nachtschattengewächs von *Solanum muricatum* mit der Sorte »Peppino Gold«. Es trägt orangefarbene, lilagestreifte Eierfrüchte. Nach ersten Presseberichten hörten die Leserfragen nach einer Bezugsquelle für Saatgut gar nicht mehr auf. Anfangs konnte nur empfohlen werden, im Feinkosthandel nach den Früchten zu fragen und die Samen selbst auszusäen. Inzwischen gibt es sogar schon Jungpflanzen, die im Freiland keine höheren Ansprüche stellen als Tomaten oder Auberginen.

Aubergine. Die gurkenförmigen, violetten oder schwarzen Eierfrüchte gedeihen am besten im Frühbeetkasten, Kleingewächshaus oder in höheren Folientunneln; in warmen Gegenden wachsen sie wie Tomaten im Freiland. Hier können sie mit einem Vorhang aus glasklarer Folie geschützt werden, wenn es kühl wird.
In den letzten Sortenvergleichen bestand die F_1-Hybride »Adona« als beste. Die Pflanze ist leicht zu halten und trägt gleichmäßig dunkle Früchte, die sich auch erntereif nicht aufhellen. Sie reift als erste und bringt die größte Erntemenge auf die Waage.
Auch »Baren« ist eine F_1-Hybride von hohem Wuchs und frü-

her Reife. Aus dem gleichen Sortiment empfiehlt sich »Negro« als sehr frühe Spezialzucht von dichtem Wuchs. Die schwersten Früchte hängen an den bis 80 cm hohen Büschen von »Black King«, sie sind bis 550 g schwer und glänzend dunkelviolett mit grünem Kelch. Sie reifen früh und willig. »Blacky« wächst ebenfalls schnell und trägt früh große, schwärzlich violett glänzende Keulenfrüchte.

Ausgepflanzt werden sie Ende Mai, nachdem die Samen Mitte März in Schalen ausgesät und bei 24 Grad Celsius zum Keimen gebracht worden sind. Sobald die Keimlinge zu eng stehen, wird in Töpfen pikiert, damit sie bei 20 Grad feste Ballen bilden und ohne weiteres Verpflanzen auseinandergerückt werden können, sobald die Blätter groß werden. Auf dem Beet brauchen sie 40 bis 60 cm Distanz in lockerem Humusboden. Als Startdüngung gibt es schnell aufnehmbaren Volldünger in flüssiger Form je nach Topfgröße bis 4 g je 1 l Gießwasser. Von Blühbeginn an sind danach alle vier Wochen weitere Nährstoffgaben fällig, bis die Früchte ausgewachsen sind.

Die 300 bis 800 g schweren Eierfrüchte werden mit Kelch geerntet, sobald sie ausgewachsen sind. Das erkennt man an der glänzenden, dunkel gewordenen Farbe. Sie dürfen nicht in den Kühlschrank gelegt werden, da sie unter 5 Grad Celsius leicht fleckig werden. Bis zu 14 Tagen können sie bei 8 bis 10 Grad liegen. Ihr größter Vorzug ist, daß sie mit 84 Joule (20 Kalorien) auf 100 g Fruchtfleisch kalorienarm sind.

Viel Vitamine enthalten sie nicht, aber sie haben kaum einen Eigengeschmack und lassen sich deshalb in unzähligen Gerichten zubereiten. Sie müssen stets erhitzt werden, weil sie neben Bitterstoffen auch das unbekömmliche Solanin enthalten. Gebraten werden Auberginen nur in Pflanzenfett, da in anderen Fetten das Fruchtfleisch schwarz und bitter wird.

Buschbohne. Buschbohnen brauchen viel Wärme, Frost ist tödlich. Auch der Wind ist für Buschbohnen nachteilig. Man sollte deshalb für den Anbau geschützte Stellen aussuchen oder Windschutz daneben stellen.

Am besten gedeihen die Buschbohnen auf leichten bis mittleren Böden, die reich an Humus sind. Vor der Aussaat im Frühjahr sollte man das Beet gründlich durcharbeiten, lockern und krümeln.

Für die Anzucht von Jungpflanzen im Haus haben sich Jiffy-Pots bewährt, die in Kästen dicht an dicht aufgestellt werden. In jedem Topf, der einen Durchmesser von 8 cm hat, legt man 4 bis 6 Kerne. Nachdem die ersten Laubblätter ausgebildet sind, wird um Mitte Mai ins Freiland ausgepflanzt. Man beginnt mit der Topfanzucht etwa 16 Tage vor dem gewünschten Auspflanztermin. Die Ernte wird dadurch um 2 bis 2,5 Wochen vorverlegt.

Die strauchig und meist niedrig wachsenden Buschbohnen wurden aus der Stangenbohne gezüchtet. Ihre Hülsen sind kürzer als jene und enthalten 5 bis 9 nierenförmige weiße Samen. Neben den grünen Sorten gibt es gelbhülsige Wachsbohnen, die vor allem für Salat beliebt sind. Die Hauptsaison der Buschbohnen beginnt in der zweiten Julihälfte und reicht bis in den Oktober.

Frühe Bohnen haben flache Hülsen. Später werden rund- und rundovalhülsige Sorten bevorzugt. Grüne Bohnen sind robuster als gelbhülsige Sorten. Aufsehen erregte ein neuartiger »Gluckentyp«, der anders aussieht, als der Name erwarten läßt: Er wächst standfest aufrecht bis 40 cm hoch und läßt alle Hülsen frei über dem Laub hängen (wohingegen eine Glucke das Gelege unter sich verbirgt).

»Cropper Teepee« ist sehr ertragreich und gesund. Das ist der große Vorzug dieser Wuchsform, die Früchte trocknen schnell ab und sind deshalb weniger krankheitsanfällig. Von dieser Sorte gibt es eine blauhülsige Spielart namens »Purple Teepee«.

Die schönste gelbhülsige Buschbohne wird wohl »Hildora« sein, die mittelfrüh übervoll von vollrunden, 16 cm langen Hülsen hängt. »Gabriella« trägt am niedrigen, standfesten Hochbusch gerade, hellgelbe, 13 bis 15 cm lange Früchte. »Rocdor« kommt etwas früher, ist länger (17 bis 18 cm), zart und wohlschmeckend.
Interessant ist die neue Buschbohnensorte »Chantal«, die Eigenschaften der Stangenbohne besitzt. Die Wuchshöhe beträgt etwa 1,40 m; die Aufleitung erfolgt zweckmäßig an einem Maschendrahtgitter.
»Annabel« ist eine Neuzüchtung vom Typ der feinen Gourmet-(Kenia-)Böhnchen. Trotz der schlanken, 10 bis 12 cm langen Hülsen ist der Gesamtertrag hoch. Die Sorte ist standfest und widerstandsfähig.
In internationalen Beurteilungen erreichte »Annabel« die höchsten Noten für Geschmack, Farbe, Formerhaltung, Qualität und Ertrag. Sie eignet sich zum Gefrieren, Einmachen, Dörren und für Salate. Die Reifezeit liegt früh, auch späte Aussaaten sind möglich. Ausgesät werden die Bohnen Anfang Mai bis Mitte Juli, dünn in Reihen mit Kornabstand von 6 bis 7 cm oder alle 25 cm 4 bis 6 Körner. Der Reihenabstand beträgt 35 bis 40 cm. Bei Vorkultur unter Glas in Töpfen beträgt die Keimtemperatur 15 bis 25 Grad Celsius, die Bodentemperatur sollte bei 10 Grad liegen, als Saattiefe empfehlen sich 2 bis 3 cm.

Dicke Bohne. Dicke Bohnen werden auch Sau-, Pferde-, Acker- oder Puffbohnen genannt. Die innen samtartig behaarten, groben Hülsen sind nicht eßbar. Sie haben 3 bis 7 rundlich-ovale, bis markstückgroße, abgeplattete Samen. Halbreif werden sie, nicht nur im Rheinland, als Gemüse gegessen, vollreif und getrocknet zu Suppen oder Eintopf verwandt.
Sie bringen den besten Ertrag, wenn sie früh ausgesät werden. Ein guter Ertrag hängt davon ab, daß der Boden kräftig und

humusreich ist. Mit Humusdünger läßt sich jeder normale Gartenboden so weit verbessern, daß er ihnen zusagt. Einen festen Aussaattermin gibt es nicht, jedoch dürfte es im März so weit sein, da der Keimling einige Grade Nachtfrost durchaus verträgt. Frühe Aussaat gibt den Pflanzen nicht nur einen Wachstumsvorsprung, sondern bietet auch einen Schutz vor Blattläusen.

Aus diesem Grund werden die Samen im Haus vorgekeimt. Als Gefäße verwendet man Kisten oder Schalen, die 5 bis 7 cm hoch mit feuchter Aussaaterde gefüllt sind, der etwas Sand untergemischt ist. Die Samenkörner drückt man leicht in das Substrat und stellt das Ganze in einem warmen Zimmer hell auf. Nach wenigen Tagen erscheinen die Keimlinge und brauchen dann etwas niedrigere Temperaturen zwischen 10 und 12 Grad, damit die Jungpflanzen kurz und gedrungen bleiben.

Sind die Dicken Bohnen 2 bis 3 cm hoch, müssen sie abgehärtet werden. Dazu stellt man die Anzuchtgefäße zunächst wenige Stunden am Tag, dann den ganzen Tag und schließlich auch bei Nacht nach draußen. Abgehärtete Pflanzen vertragen bis 7 Grad Celsius unter Null. Beim Auspflanzen versucht man, den Wurzelballen zu erhalten. Dann können die Pflanzen in der ersten Juniwoche feines Gemüse liefern.

Nicht alle Sorten sind in gleicher Weise für die frühe Kultur geeignet. Als früheste kann heute die weißkörnige »Rato« gelten, da sie im Durchschnitt 1 Woche vor »Hedosa« fruchtet, die in drei Monaten erntereif ist und etwas höher wächst. Diese hat sich auf dem Markt durchgesetzt, weil die 4 bis 6 großen, zarten Bohnen in jeder Hülse von guter Qualität sind. Die Erntemengen sind beachtlich.

Mehr hört man von »Con Amore«, die hier als sehr früh, dort als mittelfrüh eingestuft wird. In den langen, dunkelgrün glänzenden Hülsen liegen 4 bis 6 große, aber zarte Körner, die jung als Frischgemüse und zum Einfrieren verwendet werden. Die stämmigen, gut verzweigten Pflanzen wachsen mittelhoch. Sie sind berühmt für ihre hohen Erntemengen.

Feuerbohne. Kein anderes Gemüse vereint so überzeugend Schmuckwert und Küchennutzen wie diese selbständige Art der Bohnengattung. Die rauhen Hülsen sind auf dem Markt kaum zu finden, weil sie niemand haben will. Und das, obwohl sie besser schmecken als andere grüne Bohnen, wenn sie rechtzeitig geerntet werden. Für den Anbau im Garten spricht weiter, daß sie weniger unter schlechtem Wetter und Krankheiten zu leiden haben als die robustesten Stangenbohnen. Sie keimen in kalten Böden gut, sie formen vollendete Hülsen, wenn es kühl und feucht ist. Sie tragen am besten, wenn der Sommer so ungemütlich ist wie üblich.

Anzucht und Pflege unterscheiden sich nicht von Stangen- und Buschbohnen, sie brauchen nur etwas mehr Platz. Am besten legt man die Kerne zwei Wochen vor dem Auspflanzen in einen Topf. Die Erde sollte locker und humos, leicht bis höchstens mittelschwer und nahrhaft sein. Damit sie schnell wachsen und reich fruchten, brauchen sie einen schnell löslichen Volldünger, der 15 g Reinstickstoff auf 1 m^2 Bodenfläche entspricht. Damit es nicht zuviel auf einmal wird, verteilt man die Menge auf mehrere Gaben bis zur Blütezeit.

Die ersten Hülsen sind nach sechs Wochen erntereif und sollten behutsam gepflückt werden, bevor die Kerne unter der Schale fühlbar werden. Läßt man die Hülsen ausreifen, bringen die Pflanzen nur drei Etagen von Früchten. Wird laufend geerntet, können es in guten Jahren bis zu zehn Stockwerke werden. Auch die robusteren Bohnenarten bringen erheblichen Mehrertrag, bis zu 50 Prozent, wenn man die Früchte mit beiden Händen vorsichtig abnimmt, nicht an ihnen reißt, die Ranken möglichst wenig bewegt und völlig unberührt läßt, solange sie von Regen und Tau angefeuchtet sind.

In das Artenverzeichnis nach dem Saatgutverkehrsgesetz wurde die Prunk- oder Feuerbohne erstmals im Jahre 1975 aufgenommen. Von den vielen bunt- und weißblühenden Sorten wurde eine einzige geschützt. Es ist die absolut fadenlose »Désirée«, die heute noch an erster Stelle im Angebot steht. Ihre Hülsen sind fleischig, zart und wohlschmeckend. Sie wachsen in großer Zahl 25 cm lang und 2 cm breit aus den weißen Blüten. Für rauhe Lagen gibt es eine niedrige Sorte, »Hammonds Dwarf Scarlet«, die ab Mitte Mai ins Freiland gesät wird. »Mergoles« blüht weiß und fruchtet bis zu 35 cm lang und fadenlos. »Polestar« bildet aus roten Blüten bis zu 28 cm lange, glatte, fleischige Hülsen, sehr früh und absolut fadenlos (bei Feuerbohnen gibt es neben einfach fadenlosen auch vollkommen fadenlose Sorten). »Preisgewinner« reift sehr spät mit 30 cm langen Hülsen nach roter Blüte; in den langen, flachen, fleischigen Hülsen sitzen große Mengen schwarzlila gemusterte Kerne.

Erbse. Am besten schmecken grün gepflückte Erbsen, bevor die Kerne unter der Schale der noch flachen Schoten einzeln sichtbar werden. In diesem Zustand sind sie am vitaminreichsten. Von den Markerbsen sind die kleinkörnigen Sorten für den Frischverzehr am besten geeignet. Sie brauchen eine etwas höhere Bodentemperatur, so daß es keinen Zweck hat, sie vor April auszusäen. Spätere Aussaaten bleiben kleiner, blühen eher und bringen geringere Erntemengen. Damit immer frische Hülsen (keine Schoten) am Strauch hängen, legt man trotzdem bis zum Juni einige Folgesaaten mit 2 bis 4 cm Kornabstand in eine Reihe, je nach Größe 3 bis 5 cm tief.
Zum Kochen nehmen wir Schalerbsen mit meist glatten, runden Samenkörnern, die nicht so süß schmecken, aber Frost vertragen. Sie können ebenso wie die Zuckererbsen bereits im März keimen. Diese werden mit Schale gegessen, weil die Hülsen auf

der Innenseite keine Pergamentschicht haben. Sie werden überhaupt nur im privaten Garten oder auf dem Balkon angebaut.
Gesät werden alle drei Sortengruppen in mittelschweren Boden, der gleichmäßig feuchtgehalten werden muß. Da die Wurzeln mit Hilfe von Knöllchenbakterien selbst Stickstoff aus der Luft aufnehmen können, brauchen sie nur eine schwache Düngung. In 11 bis 13 Wochen sind die ersten Hülsen so weit, daß laufend geerntet werden kann.
Bei der Sortenwahl orientieren wir uns an Wuchshöhe und Form des Strauches, Hülsenlänge, Korngröße und Reifegruppe. Besonders die kleinkernigen Markerbsen reifen rasch und verlieren dabei etwas an Qualität. Besser wählt man die bei der Industrie weniger beliebten Sorten mit langer Reifezeit, wie »Wunder von Kelvedon«, die früh pflückreif wird und reich trägt; die Sträucher bleiben niedrig, die dunkelgrünen Hülsen sind lang und vielseitig verwendbar. Als bedeutende Verbesserung davon gilt »Kelvex«, weil die Pflanze gesund und bis 70 cm standfest ist. Die dunkelgrünen Hülsen sind bis 10 cm lang.
»Progreß Nr. 9« ist eine Spezialselektion, die niedrig so wächst, daß sie keine Stütze braucht, und früh sehr viele große dunkelgrüne Hülsen mit ebensolchen Körnern von sehr gutem Geschmack hervorbringt. »Sprinter« bringt auf standfesten Trieben in rund 66 Tagen 9 cm lange Hülsen, die frisch sehr gut schmecken. »Lancet« ist eine neue, dunkelgrüne »Sprinter«, sie ist sehr gesund, reichtragend und standfest mit 10 bis 12 Körnern in jeder Hülse, die lange süß bleiben.
Schal-, Pal- oder Brockelerbsen sind am Platz, wenn eine robustere Sorte gebraucht wird, die an niedrigen Sträuchern so früh reift wie die »Allerfrüheste Mai«. Sie wird mit gelbem Korn 70 bis 80 cm hoch, ist eine verbesserte »Maiperle« und reift ein paar Tage eher als diese. Sehr früh und zugleich ertragreich an 30 bis 35 cm hohen Sträuchern ist die »Kleine Rheinländerin« mit grünen Körnern in den dunkelgrünen, langen, schön schna-

belförmig zugespitzten Hülsen. Eine Woche eher hängen die ersten Hülsen an »Feltham First« (auch »Frühes Wunder«); sie sind geringfügig dicker und länger, dafür geringer an Zahl.

Zuckererbse. Die Zuckererbsen unterscheiden sich von den anderen dadurch, daß sie auf der Innenseite der Hülsen keine Pergamentschicht haben. Sie können ganz aufgegessen werden, solange sie jung und frisch vom Strauch gepflückt sind.

»Suggy« reift mittelfrüh an 60 bis 90 cm hohen Stauden mit ziemlich langen, gekrümmten Hülsen. »Zuga« wächst gestaucht und hängt mittelfrüh voll von mittellangen, gekrümmten Hülsen. »Rheinische Zucker« reift etwas später mit langen, gekrümmten Hülsen an mittelhohen, gestaucht bis locker wachsenden Trieben. Noch später folgen »Edula« und »Gero« mit mittelhohem Wuchs, der voll hängt von langen, mehr oder weniger stark gekrümmten Hülsen. Länger bekannt sind die »Schweizer Riesen«, die bis zu 140 cm hoch wachsen, mit riesigen Hülsen in reicher Fülle, die trotzdem sehr zart schmecken. Die »Graue Buntblühende« ist kaum ein Drittel so hoch und trägt reichlich kleine Hülsen. Der »Frühe Heinrich« steht weißblühend dazwischen 70 cm hoch und trägt dunkelgrüne Hülsen voll gelber Kerne. Je nach Klima und Sorte legt man Zuckererbsen von Mitte April bis Mai. Damit die Spatzen nicht alle Keimlinge aus dem Boden zerren, legt man die Körner in 4 bis 5 cm tiefe Rillen, die nach der Aussaat mit lockerer Erde oder Torfmischdünger abgedeckt werden. Sind die Triebe 1 Handbreit hoch, sind sie den Vögeln zu bitter und werden in Frieden gelassen, bis sich die Kerne unter den Schalen der Schoten abzeichnen. Und dazu läßt man es erst gar nicht kommen, denn richtig schmecken sie nur, solange sich noch nichts abzeichnet. Übrigens kann man die Schoten nicht nur roh essen; man kann sie zu Salaten und vitaminreicheren Gemüsen verarbeiten, wobei sie wie Brechbohnen zubereitet werden.

Die Knackerbse »Denise« steht wohl an erster Stelle mit ihren runden, vollfleischigen, bis 10 cm langen Hülsen. Die Sträucher werden 60 bis 80 cm hoch, sie tragen sehr früh und reich und schmecken köstlich.

Gurke. Die heutigen Kultursorten brauchen viel Wärme und Feuchtigkeit. Sie sind frostempfindlich und leiden, wenn die Temperaturen in die Nähe des Nullpunktes kommen. Richtig wachsen sie erst ab 10 Grad Celsius, die Mindestkeimtemperatur beträgt 12 Grad. Sie haben deshalb in den normalen Sommern unserer Breiten kaum eine Chance im Freiland. Nur unter Folie oder Glas bringen sie reiche Ernten wohlschmeckender, gesunder Früchte.
Die Jungpflanzen zieht man mit Einzelkornsaat in Jiffy-Pots heran, damit sie nicht verpflanzt werden müssen. Damit sie trotzdem einen möglichst großen, dichten Ballen bilden, füllt man die Töpfe nur halb mit Substrat und legt die weichen Keimtriebe in Spiralen, bevor die restliche Erde eingefüllt wird. In jeden Topf legt man drei Gurkenkerne und deckt ihn leicht ab. Die Töpfe stellt man dicht an dicht in einfache Holz- oder Plastikkisten. Sie haben so viel Abstand, daß die Wurzelspitzen stocken, wenn sie die weichfeuchte Topfwand durchwachsen haben. Sie legen sich außen an der Topfwand an, während innen verstärkt Seitenwurzeln getrieben werden. So erreicht man den wertvolleren sternförmigen Wurzelballen.
An einem hellen, aber keinesfalls sonnigen Fenster treiben die Sämlinge rasch das erste Blatt. Es kommt nun darauf an, daß sie gedrungen weiterwachsen. Also dürfen sie nicht zu warm und lichtarm stehen. Bis zum pflanzfertigen Setzling vergehen insgesamt nur 6 bis 7 Wochen, so daß Anfang bis Mitte April ausgesät werden muß. Bevor sie ins Freie gestellt werden, härtet man die Pflanzen in viel frischer Luft am offenen Fenster ab.
Gurken verlangen leichten, humosen Boden, der sich im Sommer mit ausgezeichneter Luft- und Wasserführung besser

erwärmt. Mineraldünger müssen vorsichtig angewendet werden, da Gurken salzempfindlich sind und Chlor ablehnen. Volldünger muß also chloridfrei und kalibetont sein. Die meisten Nährstoffe brauchen sie in der Zeit vom beginnenden Fruchtansatz bis zum Abernten. Um Verbrennungen zu vermeiden, ist es ratsam, alle Düngergaben gründlich einzuregnen. Nach starken Niederschlägen kann eine Stickstoffdüngung notwendig sein. Das erkennt man daran, daß sich die Blätter heller färben.

Durch die Mitte des Beetes wird ein Graben von Spatenbreite etwa 40 cm tief ausgehoben und 30 cm hoch mit gut verrottetem Humus aufgefüllt. Über diese Schicht kommt eine handhohe Lage guter Erde. Das sollte schon Anfang April vorgenommen werden. Da die Gurken erst ab Juli die gesamte Breite des Beetes beanspruchen, wird der freie Raum mit Salat, Rettich, Radies, Spinat, frühen Möhren oder ähnlichen Kulturen genutzt. Mitte Mai, unmittelbar nach den Eisheiligen, kommen die Pflanzen mit dem Jiffy in die Erde, alle 30 cm ein Topf. Die Wurzeln können so ohne Störung durch die Topfwand weiterwachsen. Der Dung hat den Boden gut durchwärmt, so daß die Ernte nicht nur wesentlich früher einsetzt, sondern bis 50 Prozent höher liegt. Der ganze Erfolg hängt von der richtigen Sortenwahl ab. Deshalb sollte man zur Aussaat grundsätzlich nur hochwertiges Hochzuchtsaatgut auslegen. Für den Garten wird sich die Sortenwahl auf mittellange Salat- und größere Trauben- oder Einlegegurken beschränken.

Mittellang bis 25 cm und hervorragend widerstandsfähig gegen Pilzkrankheiten ist die alte »Delikateß« in Spezialzuchten. Sie tritt als »Badenia« und bei Sperling unter dem Namen »Mervita« auf, ist ertragreich und bitterfrei, dunkelgrün und fest. Mit dem schmalen Kerngehäuse ist sie für nahezu alle Küchenzwecke geeignet: in jungem Zustand zum Einlegen, ausgewachsen zum Frischverzehr, in Salaten und zum Schmoren.

Unter den gemischt blühenden Einlegegurken, bei denen sich

auf der vollen Länge der Triebe neben den weiblichen zahlreiche männliche Blüten entwickeln, gibt es zwei, die für den Anbau im Freiland voll geeignet sind.

»Dew« von Royal Sluis wächst mittel bis stark 15 bis 18 cm lang und ziemlich dick, das Verhältnis zur Länge beträgt 2,4 zu 1. Die Früchte sind dunkelgrün, weiß bestachelt und bitterfrei. »Nimbus« aus dem gleichen Hause stimmt in beinahe allen Punkten damit überein. Die grünen Gurken werden etwas heller und eine Idee länger.

Die überwiegend weiblich blühenden Sorten bringen männliche Blüten nur dann hervor, wenn die Pflanzen bei niedrigem pH-Wert zuwenig Sonne und zuviel Stickstoff bekommen. Für den geschützten Freilandanbau eignet sich eine ganze Reihe von ihnen, darunter folgende F_1-Hybriden: »Doplus« mit gesundem, kräftigem Wuchs, die Früchte reifen mittelfrüh, dunkelgrün und schlank im Verhältnis von Länge zu Dicke, wie 3,1 zu 1, und bleiben bitterfrei. »Mepram« mit frühen, hohen Erträgen schlanker, glatter, mittelgrüner Einlegegurken, die vorzüglich schmecken und fest bleiben.

»Melani« blüht rein weiblich, so daß nicht mit unerwünschten Bestäubungen zu rechnen ist; die glatten Früchte sind schlank (3,1 zu 1) und mit normalen Gurkensorten vergleichbar. Von Sperling ist die frühere »Sonja« zu einer F_1-Hybride verbessert worden, die jetzt mehltauresistent und bitterfrei ist. Sie heißt »Tomara« und trägt überwiegend weibliche Blüten, so daß die Ernte überreich ausfällt. An Maschendraht oder Schnüren kann in geschützten Gartenwinkeln Massenertrag eingeheimst werden.

Für Salate und Brotbelag empfiehlt sich ein anderes Sortiment: Die »Chinesischen Schlangen« haben einen kurzen Hals, sonst sind sie lang, schlank und dunkelgrün. »Hoffmanns Giganta« ist so dickfleischig, daß man davon Senfgurken einlegen kann. »Moneta« bietet große Gewinne mit kleinem Kerngehäuse.

»Riesen Schäl« liefert sehr große, halslose Früchte mit wenigen Kernen und reift weißlich. »White Wonder« ist strahlend reinweiß, 22 bis 25 cm lang von Juli bis zum Frost und schmeckt angenehm mild. »Sprint« blüht vollkommen weiblich, bringt frühe und hohe Ernten bis zu 25 cm langer, glatter Früchte, die gesund und bitterfrei sind, wenn das Wachstum nicht stockt. »Tanja« wirkt nie verbittert, sie wird 35 cm lang, dickfleischig und kleinkernig, jung ist sie dunkelgrün.

Kürbis. Die vielfältigsten Spielarten des Gartenkürbis *Cucurbita pepo* können nicht in Speise- und Zierkürbisse getrennt werden, denn einige Zierformen sind eßbar, solange sie jung sind.

Die Jungpflanzen werden genauso wie Gurken und Melonen herangezogen und Mitte Mai ausgepflanzt. Dabei dürfen sie nicht von Nachtfrösten überrascht werden. Erst wenn die Blätter blaß werden, lassen wir Nährlösung ins Gießwasser fließen, je nach Wüchsigkeit der Sorten mehr oder weniger und so lange, bis die Fruchtbildung abgeschlossen ist. Wenn der Wandbehang zu dicht wird, kann man unfruchtbare Seitentriebe herausschneiden und die fruchttragenden 3 Blätter über der obersten Blüte kappen.

Viele der dekorativen Zierkürbisse sind eßbar, solange sie jung sind. Nach ihren Formen nennt man sie Apfel- oder Eierkürbis, Kranz- oder Warzenkürbis. Die hauptsächlich zum Verzehr bestimmten Sortengruppen tragen folgende Namen:

Herkuleskeule: Die mannshohen Riesengurken werden wie Zucchini zubereitet, wenn sie jung sind. Ihre Triebe und Ranken sind stark genug, um ganze Spalierwände zu begrünen. Sie verlangen dafür nicht mehr an Pflege und Düngung als jede normale Salatgurke.

Melonenkürbis: Die F_1-Hybride »Table Queen« trägt auch den Namen »Squash«. Die Samen werden im Haus ausgelegt und im Mai hinausgestellt. Mit der Freilandsaat nach Mitte Mai läßt man den zahlreichen, bis 20 cm dicken Früchten zu wenig Zeit, voll auszureifen. Sie schmecken ein bißchen wie Melonen. Ihr Fleisch bleibt zart, hält sich aber kühl gelagert. Zubereitet wird es wie ein einfacher Kürbis.

Kürbismelone: Das ist keine Melone. Sperlings »Gelber Mond« wird nicht groß, dafür trägt er eine große Zahl von Früchten, die so aussehen, wie sie heißen. Ihr orangegelbes, festes Fleisch duftet und schmeckt köstlich. Es läßt sich länger bis zum Verzehr lagern, ist aber ebenso für Konserven jeglicher Zubereitung geeignet. Die getrocknete, harte Hülle wird gern zum Basteln von Gefäßen und Spielzeug verwendet.

Ölkürbis: In seinem Innern finden sich schalenlose Kerne, die roh und getrocknet hervorragend schmecken. Aus ihnen kann Öl gepreßt und Tee gebrüht werden. Wer täglich zwei- oder dreimal 1 Eßlöffel Kernmasse zu sich nimmt, verspürt die heilende Wirkung bei Blasenleiden, Prostatabeschwerden und anderen. Das Kürbisfleisch kann eingekocht oder süßsauer zubereitet werden.

Kerne der Sorte »Comet« werden im April oder Mai in große Blumentöpfe gelegt. Sie treiben schnell und sind anspruchslos, so daß die Früchte bald bis 30 cm Durchmesser erreichen.

Patisonkürbis: Besonders reizvoll an den buschförmig wachsenden Pflanzen sind die verspielten Formen dieser Früchte. Zu ihnen gehören Sorten wie »Ufo«, die neben ihrer zierenden Eigenschaft außerdem noch ein zartes, feines Aroma besitzen. Sie werden wie Zucchini gezogen und ähnlich zubereitet. Die jungen Früchtchen von 10 cm Durchmesser werden in Scheiben geschnitten und in Öl ausgebacken, gezuckert oder gesalzen. Besonders gut sind sie gewürfelt als Füllung in Omelettes.

Rondini: An kurzen Ranken hängen melonenähnliche Früchte, die wie die anderen Kleinkürbisse im Warmen vorgezogen und dann hinausgestellt, feucht, warm und nicht zu mager gehalten

werden. Die robuste Sorte »Tondo di Nizza« gedeiht in jeder sonnigen Gartenecke, in der die aufstrebenden Triebe einen Halt finden. Ab August reifen die ersten Früchte, die im zarten Alter leicht wie Nüsse schmecken. Sie werden halbiert, entkernt, 10 Minuten gegart und mit Hackfleisch, Ragout, Pilzen oder Kräuterquark gefüllt.
Spaghetti-Kürbis: Die Sorte »Bologneser« stammt aus Japan. Der Name ist zutreffend, denn dieser Kürbis enthält im hohlen Innenraum der reifen Früchte ein Fadengewirr, das wie Spaghetti aussieht und auch so zubereitet wird, mit Tomatensoße, Parmesan und Hackfleisch. Aber auch der ganze Kürbis kann ebenso wie anderes Gemüse mit kürbisartigem Geschmack gedünstet werden. Die Pflanzen lassen sich direkt ins Freie säen, wenn man sie vor Spätfrösten schützt. Besser ist es, die Jungpflanzen ab April hinter Glas vorzuziehen, damit sie einen Vorsprung gewinnen.

Mais. Die amerikanische Vorliebe für Maiskolben hat auf dem europäischen Markt großen Anklang gefunden. Anders wäre das reichhaltige Sortiment für Garten und Folienschutz nicht erklärbar. Sie brauchen mehr Wärme als der landwirtschaftliche Futtermais. Im Freiland erreichen sie in milden Sommern die volle Kolbenreife.
Die frostempfindlichen Jungpflanzen werden ab April in Töpfen vorgezogen. Wenn sie bei 12 bis 15 Grad größer und härter geworden sind, vertragen sie draußen auch mal eine Nacht bei 3 Grad Frost. Der Boden sollte nährstoffreich sein, um die schnell bis 2 m hohen Pflanzen ausreichend zu versorgen. Nachgedüngt wird dreimal im Abstand von vier Wochen mit Volldünger, der 1 1/2 mal soviel Kali wie Stickstoff und Phosphor enthält. Wichtig ist hier vor allem der Kernnährstoff Magnesium. Da die Maisblätter empfindlich reagieren, wenn Salz in die Blattscheiden gerät, wird besser ein granulierter

Volldünger gewählt, vorsichtig gestreut und anschließend stark gewässert.
Die Kolben sind erntereif, sobald die Fasern der Staubgefäße braun und trocken sind. Zu dieser Zeit sind die Körner goldgelb, voll und so saftig, daß weißer Milchsaft herausspritzt, wenn man sie zwischen den Fingern drückt. Es ist dabei unvermeidlich, daß einige wenige Körnerreihen an der Kolbenspitze noch weißlich hell sind.
Die Kolben lassen sich grillen, rösten, kochen und auf die verschiedenste Weise einlegen. Bis zur Verwendung in der Küche läßt man die Kolben in den Hüllblättern, so bleiben sie am ehesten frisch.
»Aztec« ist eine wetterfeste Hybride, die gesund und kräftig wächst, früh und reichlich tief dunkelgelbe Kolben von ausgezeichneter Qualität verspricht. »Early Extra Sweet« trägt als früheste Sorten stark süße, bis zu 20 cm lange Kolben auf niedrigen bis mittelhohen Stielen. »Florida Stay Sweet« reift mittelspät, fast zwei Wochen nach »Tasty Sweet«, bleibt sehr süß an mittelhohen bis hohen Halmen mit bis zu 24 cm langen, schlank zylindrischen Kolben; die Sorte ist sehr ertragreich und erntesicher. Besonders lange läßt sich die sehr ertragreiche Neuzüchtung »Tasty Gold« aufbewahren. Im Kühlschrank bleibt sie etliche Tage nach der Ernte frisch. »Jubilee« gehört zu den letzten nur einfach süßen Sorten, reift mittelfrüh nach drei Monaten mit sicheren Ernten, ihre Kolben sind 20 cm lang voller goldgelber Körner. »Meritosa« ist eine gelbkörnige F_1-Hybride, die speziell für den Kleinanbau im Garten empfohlen wird. Die Pflanzen sind widerstandsfähig gegen zeitweilige Trockenheit. Sie tragen mittelspäte, hohe Ernten großer, sehr wohlschmeckender Kolben.

Melone. Die Zucker- oder Gartenmelonen sind nicht mit den Kürbissen, sondern mit den Gurken verwandt, beide gehören zur Gattung *Cucumis,* den Melonen mit Artnamen *C. melo*. Die

Wassermelone bildet einen selbständigen Zweig der Kürbisgewächse.
Die kleinfrüchtigen Melonensorten werden Ende April in Einzeltöpfe gelegt, die mit humoser Erde gefüllt sind. Darin werden die Jungpflanzen vorgezogen, bis sie 4 oder 5 Blätter gebildet haben, also bis etwa Anfang Juni. Anders als Gurken dürfen Melonen nicht tiefer im Endtopf stehen, sonst besteht die Gefahr von Stengelfäule. Wird es im Frühsommer draußen noch einmal etwas zu kühl, spannen wir eine durchsichtige Folie vor die Pflanzen.
Während sie anfangs angebunden schnell an Rankhilfen hochwachsen, brauchen die Melonen viel Wasser. Ist der Boden humusreich genug, genügt das als Vorratsdüngung. Erst wenn die Blätter heller werden und kleiner bleiben, wird mit einem Volldünger flüssig nachgedüngt, der kalireich und phosphatarm ist.
Da sich am Haupttrieb nur wenige weibliche Blüten bilden, wird er auf 2 bis 4 Blätter zurückgeschnitten, sobald sich 6 oder 7 Blätter ausgebildet haben. Das regt die Entwicklung von Seitentrieben an, an denen sich die Früchte bilden. Den ersten und zweiten Seitentrieb kürzt man ebenfalls auf 4 Blätter.
Die Früchte sind reif, sobald ihr Fruchtstiel so trocken wird, daß er einreißt. Zum Frischverzehr werden sie kühl gelagert und eiskalt serviert. Das Fruchtfleisch enthält in 100 g nur 30 Kalorien (125 Joule), aber viel Vitamin A, das positiv auf Haut und Augen wirkt.
Honigmelone: Die Honig- oder Ananasmelonen gehören zu den glatten Zuckermelonen. Ihre gelbe Schale ist über dem weißen, gelben, lindgrünen oder rötlichen Fruchtfleisch wenig gerippt. Die Kerne liegen frei in einem Hohlraum. Die kleinsten, die »Charantais«-Sorten mit aprikosenfarbenem Fleisch unter hellgrüner Schale sind zugleich die feinsten aller Honigmelonen. »Maja« liefert die schwersten Früchte, bis 1 kg und schwerer,

ihre Schale ist hellgrün und glatt, das orangefarbene Fleisch schmeckt süß und erfrischend.

Netzmelone: Ein korbähnliches Netz, das die Schale rauh und weißlich bis hellbraun überzieht, gab den Netzmelonen ihren Namen. Sie sind mit einigen sehr guten Sorten am häufigsten im Garten zu finden, weil sie überaus aromatisch schmecken. Zu ihnen gehören die »Galia«-Melonen, die auf dem Markt schnell eine starke Nachfrage gefunden haben. Ihr Kennzeichen ist der graugrüne Schimmer mit grünen Rippen auf der gelblichen Schale. Das Innere ist von hellerem Grün. Netzmelonen mit gutem Namen sind die »Ogen«-Sorten. Auf ihrer glatten, grünlich glänzenden Haut heben sich helle Längsstreifen und unregelmäßige Flecken ab. Sie schmecken aromatisch und bleiben ausgesprochen klein. »Sweetheart« ist eine kurzrankige Buschmelone mit nur 1 m langen Trieben und sehr schönen, mittelgroßen Früchten, die gelblich genetzt sind; ihr Fruchtfleisch ist orangerot, sehr süß und schmeckt ausgezeichnet.

Die hochwertigen Zuckermelonen stammen aus Cantalupe in Italien und heißen deswegen »Kantalupe«-Melonen (mit K). Ihre rauhe Schale ist hier und da gerieft oder von Warzen bedeckt, sie deckt zartes Fruchtfleisch, das höchstens 1 Woche haltbar bleibt.

Wassermelone: Die Wassermelonen haben eine dunkelgrüne Schale und hellrotes Fleisch, das von vielen dunkelbraunen Kernen durchsetzt ist.

Ananas-Wassermelonen sind an ihrer gelb-grünen, tigerartig gestreiften Schale zu erkennen. Ihr gelbes Fleisch schmeckt leicht nach Ananas. Sie tragen ihren Namen zu Recht; denn sie bestehen zu 93 Prozent aus Wasser. Honigmelonen und andere Zuckermelonen enthalten nur 87 Prozent Wasser. Daß diese Früchte gute Durstlöscher sind, liegt an ihrem reichen Mineralstoffgehalt: Kalium, Kalzium, Phosphor und Magnesium, Spuren von Eisen, Zink, Nickel, Fluor und Jod. Sie gelten auch als harntreibend, verdauungsfördernd und blutreinigend. Melonen enthalten wenig Zucker und damit wenig Kalorien: Pro 100 g Fruchtfleisch haben Wassermelonen 12 Kalorien, Honigmelonen 21. Der Vitamingehalt ist weniger beeindruckend, es sind A, B und C vorhanden.

Paprika. Wie früher die Tomaten werden heute malerische Paprikasorten speziell auf ihren Zierwert gezüchtet. Es gibt Sorten in allen Regenbogenfarben: rote, gelbe, orange- und rosafarbene, violette, schwarze, weiße und braune. Im Geschmack sind sie alle mehr oder weniger gleich, nicht aufregend, aber eßbar. Noch wichtiger ist ihr hoher Wert für die menschliche Ernährung, sie bringen mehr Vitamin C mit als fast alle anderen Gemüsearten. Je nach Sorte beträgt die Menge auf 100 g Frischsubstanz zwischen 100 mg im grünen Gemüsepaprika und 400 mg im roten Tomatenpaprika. Der wechselnde hohe Gehalt an Capsaicin unterscheidet die scharfen Gewürzpaprikasorten von den milden Gemüsepaprikas.

Die Samen werden bereits ab Januar in kleine Töpfe von 10 cm Durchmesser gelegt und bei 20 Grad warmgehalten. Andere Sorten wie die früh reifende »Sempra« oder die F_1-Hybride »Festival«, ein Zierpaprika mit Früchten von mildwürzigem Geschmack, folgen ab Februar, im März oder April und brauchen eine Aussaatwärme von 20 bis 25 Grad. Im weiteren Verlauf der Kultur richtet man sich nach den Angaben für Tomaten, bis die Jungpflanzen in 30 cm hohe Töpfe von 15 bis 20 cm Durchmesser gepflanzt und nach der letzten Frostnacht im Abstand von 40 mal 40 cm, kleinere Sorten enger mit 25 mal 30 cm, draußen aufgestellt werden.

Weil die Pflanzen viel Wärme verlangen, wenig Regen vertragen und es lange dauert, bis sie reif sind, brauchen sie ein geschütztes Beet mit Folienschutz.

Bis zum Fruchtansatz brauchen die Pflanzen wenig Wasser, danach um so mehr sowie regelmäßig flüssigen Volldünger. Damit sich die Triebe dicht verzweigen, wird die oberste Spitzenfrucht frühzeitig abgenommen. Ist der Fruchtbehang zu dicht, pflückt man die Früchte grünreif. Die Blätter werden geschont. Bis zur richtigen Ernte vergehen vier Monate.
Das Sortiment wäre leicht überschaubar, wenn nicht einige wenige holländische Züchtungen von mehreren Erhaltungszüchtern unter zahlreichen Namen vertrieben würden. Das gilt vor allem für »Rumba«, eine große Blockfrucht mit dickem Fleisch, die dunkelgrün, mittel bis spät pflückreif ist und samenreif rot wird. Je nach Herkunft firmiert sie als »Deltana«, »Propenza«, »Rumba« und »Propa Rumba RZ«. All diese Namen bezeichnen dieselbe Sorte.
In der letzten Bundessortenliste ist nur eine wirklich frühe Sorte eingetragen: »Aurora«, die bereits gelbgrün pflückreif ist und später rot wird; ihre kreiselförmigen Früchte stehen aufrecht. Frühreif sind aber auch »Frühzauber« mit 11 cm langen, am Stiel bis zu 6 cm breiten, glatten, fleischigen Früchten, die rot abreifen. Außerdem »Sweet Banana«, grünlichgelb und samenreif rot, bis zu 17 cm lang, nur 2 bis 4 cm dick, spitz zulaufend, mild im Geschmack und ertragreich.
Im Paprika-Sortiment sind neben all den seit Ende der 70er Jahre bekanntgewordenen Namen zwei Neuheiten aufgetaucht: »Tomatenpaprika AWP 11590« mit roten Früchten sowie unter der Nummer 11593 mit gelben Früchten. Sie unterscheiden sich sonst kaum in Wuchs und Form, im Geschmack sind beide überragend. Eine orangegelbe Qualitätssorte ist »Golden Hit« (»Goldstar«), gesund und schnellwüchsig, also früh reif, dickwandig, süßlich mild, anfangs grün, abreifend gelb. Auch »Pußtagold« ist frühreif, ihre Früchte werden dreikantig blockig bis zu 14 cm lang, sind also gut zum Füllen geeignet. Ihr Geschmack ist mildwürzig, so daß sie manche für die beste

Sorte am Markt halten. Gut geeignet zum Füllen sind die mittelfrühen, sehr großen, kantigen Früchte von »Yolo Wonder« (»Heidelberger Riesen«), die erst grün, später rot, dickfleischig und angenehm im Geschmack sind. »California Wonder« (»Kalifornische Riesen«) und »Liebesapfel« bieten ebenfalls schmackhafte Behälter für Füllungen. Als eßbare Zierpflanzen gibt es heute Sorten in allen Regenbogenfarben, rote, gelbe, grüne, rosa- und orangefarbene, violette und braune, sogar weiße und schwarze.

Peppino: Als Balkon- und Ampelpflanze machen sie derzeit Karriere. Es sind Nachtschattengewächse wie Tomaten, die reif und frisch wie Melonen und Birnen schmecken. Sie werden deshalb im Fruchthandel als Birnenmelonen angeboten. Sie sind zucker- und vitaminreich, frisch wie gekocht gleich schmackhaft. Eine erste Sorte mit Namen »Peppino Gold« ist bekannt geworden. Sie trägt orangefarbene, lila gestreifte Eierfrüchte, die schwach melonenähnlich schmecken.

Die Jungpflanzen werden problemlos aus Samen oder Stecklingen herangezogen. Sie blühen lange von März bis Oktober in 5-Liter-Töpfen. In etwa drei Monaten reifen bis über 40 apfelgroße, eiförmige Früchte. Wenn sie ausreichend mit Stickstoff versorgt sind, das heißt wöchentlich zweimal flüssigen Volldünger erhalten, erreicht das Fruchtgewicht bis zu 150 g mit 4 bis 8 Prozent Zucker und 35 bis 70 mg Vitamin C in 1 kg Frischsubstanz. Der Fruchtansatz hängt nicht nur von ausreichender Nährstoffversorgung ab. Man sollte auch dafür sorgen, daß es in der Mittagssonne nicht zu heiß wird und die Luftfeuchtigkeit gleichzeitig nicht zu tief absinkt.

Sojabohne. Mit hohem Eiweißgehalt von 30 bis 50 Prozent haben sich die Sojabohnen aus dem Fernen Osten stark in den Vordergrund gedrängt. Sorten der Sojabohne, die sich für unser Klima eignen, sind noch nicht lange im Handel. Es sind »Calo-

ria« und »Fiskeby V«. Sie sehen wie seidig behaarte Buschbohnen aus und werden genauso angebaut.
Sojabohnen werden Ende April gesät, da sie nicht so empfindlich sind, wie vielfach angenommen wird. Bevor die Saat in den Boden kommt, legt man eine Folie über das Beet, die sich vorteilhaft auf die Keimung auswirkt. Gesät wird in der Reihe im Abstand von 7 cm, der Reihenabstand beträgt um 35 cm. 15 g/m^2 Volldünger gibt es vor der Saat, mehr brauchen sie nicht für die weitere Entwicklung. Sobald die Pflänzchen 20 cm hoch sind, wird angehäufelt.
Die Kerne werden mit den Hülsen gekocht, danach lassen sie sich herausdrücken. Sie schmecken gut als Salat, im Eintopf oder als Beilage. Sojasprossen können in der Küche zum Keimen gebracht werden. Sie schmecken in Salaten und als Gemüse, sind energieschwach und stark mit Vitaminen und Mineralien angereichert. Das macht sie für die Ernährung wertvoll. Sojaöl ist ebenso bekömmlich wie Sonnenblumenöl und reich an mehrfach ungesättigten Fettsäuren (das sind Fettbausteine), die so wichtig wie Vitamine sind.

Stangenbohne. Höhere Erträge über längere Zeit bieten Stangenbohnen, die zugleich zarter, feiner und wohlschmeckender als Buschbohnen sind. Ihre Hülsen werden im grünen, unausgereiften Zustand gepflückt, wenn die Kerne noch klein und unentwickelt sind. Stangenbohnen winden sich rankend je nach Sorte bis über 3 m hoch, im Freien an Stangen oder im Glashaus an Schnüren, immer links herum.
Stangenbohnen wachsen schnell und fruchten reich, so daß ein fruchtbarer Boden vorbereitet werden muß. Vor der Aussaat mischt man bis 300 g/m^2 Humusdünger in die Krume und düngt später bis 15 g Reinstickstoff auf 1 m^2, das ist bei einem 10prozentigen Volldünger immerhin eine Menge von 150 g/m^2. Sie verteilt man auf mehrere Gaben bis zur Blüte.

Die chloridfreie Vorratsdüngung sollte eher nicht zu reichlich bemessen sein, weil viel Stickstoff im Boden die Blüte verzögert. Kurz vor der Blüte hilft eine milde Gabe von 10 g Kalkammonsalpeter auf 1 m^2 bei der raschen Bildung von Hülsen.
Damit die Blätterwände nicht zu dicht werden, sollte man alle schwächeren Keimlinge früh herausziehen. Mehr Pflanzen bringen eine geringere Erntemenge und schlechtere Qualität der Früchte. Deshalb sollten die Reihen 100 bis 120 cm auseinander liegen. An Stelle der Fichtenstangen nimmt man heute Welldrahtgerüste. Aus den 3 m langen Stäben werden Pyramiden gebaut, die oben zusammengebunden werden und so den Winddruck besser aushalten. Die Sonne kommt besser heran, und sie sind leichter abzuernten. Die Bohnen schlingen sich täglich mehrmals herum, doch sind sie im Herbst dennoch leichter vom trockenen Kraut zu befreien und bequem zu verstauen. Sie brauchen wenig Stapelraum.
Die Fülle von Untergruppen im Stangenbohnen-Sortiment richtet sich nach Hülsenform und Samenfarbe. »Blauhilde« von Hild ist eine fadenlose, blauhülsige »Neckarkönigin«, die beim Kochen grün wird, aber an der Stange bietet sie eine schöne Abwechslung. Sie ist weitaus robuster als die alte »Blauhülsige« und trägt besser. Grünhülsige Stangenbohnen sind meist von bewährten alten Sorten wie »Hiltrud« weitergezüchtet worden. Die bekanntesten aus diesem Sortiment sind: »Trebona« mit frühen, hohen Ernten wie bei »Perle von Marbach«; »Hilda«, die lange und breite Früchte bringt; »Marga«, frühreif wie »Rapid«, die Hülsen wie »Neckarkönigin« hat und für frühen wie späten Anbau geeignet, gesund und reichtragend ist; »Topfix«, die bis zu 30 cm lange, gerade, mittelbreite Hülsen und Riesenernten produziert; »Toplong« sieht ganz ähnlich aus, schmeckt aber feiner; »Markant« wird nicht ganz so lang, bleibt aber länger zart. »Goldhilde« ist eine fadenlose, gelbhülsige Frühsorte mit hohen Erträgen langer, leuchtend gelber, breiter,

fleischiger und doch zarter Wachsbohnen (die beim Kochen gelb bleiben) von feinem Geschmack. »Goldmarie« hat diese starke Sorte noch erheblich verbessert. »Goldelfe« ist mit 18 cm langen, flachovalen Hülsen von goldgelber Farbe ebenfalls sehr ertragreich. »Neckargold« ist eine gelbhülsige »Neckarkönigin«, die große Mengen langer, runder Hülsen trägt. »Juwagold« bleibt 12 bis 14 cm kurz und dick.

Tomate. Bis in die 30er Jahre dieses Jahrhunderts standen Topftomaten als reine Zierpflanzen auf dem Fensterbrett und im Balkonkasten. Erst später hat man gelernt, mit den Früchten etwas anzufangen. Sie enthalten neben Karotten das meiste Karotin und stehen im Vitamin-C-Gehalt an der Spitze aller heimischen Gemüsearten. Außer Mineralien und wichtigen Spurenelementen ist es vor allem Kupfer, das der Körper zur Blutbildung braucht. Diese Wertstoffgehalte sind nie höher, der Geschmack ist nie besser als im Eigenbau zum Frischverzehr. Der ist völlig problemlos, da alle Tomaten sowohl im Freiland wie unter Glas kultiviert werden können.
Die Jungpflanzen sind leicht aus Samen heranzuziehen. Damit sie bis zu den Eisheiligen die ersten Blüten öffnen, werden die Samen Ende Februar oder Anfang März in eine mit Aussaaterde gefüllte Saatschale gelegt, überbraust und 8 mm hoch mit Substrat abgedeckt. Über Drahtbögen an jedem Schalenende wird eine gelochte Klarsichtfolie gelegt und das ganze provisorische Kleingewächshaus bei 18 bis 20 Grad Zimmerwärme hell aufs Fensterbrett gestellt.
Wer eine Glasscheibe über die keimenden Saaten legt, hält sie mit schmalen Holzleisten auf knappem Abstand vom Schalenrand, um für frische Luft zu sorgen. Trotzdem bleibt die Verdunstung unter der Abdeckung so gering, daß nur ausnahmsweise vorsichtig etwas Wasser gegeben werden muß. Das geschieht besser von unten durch die Abzugslöcher als mit der

Gießkanne oder gar Brause. Dazu hält man die Schale kurz wenige Zentimeter tief in eine wassergefüllte Schale und läßt sie anschließend eine Weile abtropfen.
Sobald die Keimlinge sich mit den Blattspitzen berühren, werden sie auf 5 cm Abstand auseinandergepflanzt. Man kann sie jedoch auch bereits in einen Plastiktopf setzen, in dem sie bleiben und einen festen Wurzelballen bilden, bis sie Anfang Mai in den Garten ausgepflanzt werden.
Man kann Tomaten im Torfsack wachsen lassen. Man legt ihn flach und schneidet im richtigen Abstand einige kreisrunde Löcher hinein, die gerade ausreichen, um den Wurzelballen durchzustecken. Kreuzschnitte sind weniger praktisch, weil durch die Pflanzlöcher gegossen werden soll. Damit der Pflanzsack nicht versumpft, wird die aufliegende Seite ebenfalls gelöchert und mit untergelegten Leisten für Wasserabzug gesorgt. Diese Torfsackkultur ist so pflanzenfreundlich für anspruchsvolle Gewächse, daß sie im Freiland angewendet wird, wenn der Boden für die normale Kultur zu minderwertig ist.
Die Bodentemperatur darf draußen nicht mehr unter 10 Grad Celsius absinken. Wenn das nicht ohne weiteres gesichert ist, zieht man eine geschlitzte Plastikreifehaube über die Stöcke. Die Folienschläuche werden unten aufgerollt und langsam, wie die Triebe wachsen, mit der Pflanze am Haltestab hochgezogen. Nur während der Blütezeit muß die Folie abgezogen werden, damit die Befruchtung nicht verhindert wird.
Die Triebe werden locker in Form einer 8 an Holz- oder Welldrahtstäben hochgezogen. Alle Seitentriebe aus den Blattachseln werden ausgebrochen, »ausgegeizt«. Über der vierten, höchstens der sechsten oder siebten Blütentraube nimmt man die Fruchtansätze großfrüchtiger Sorten heraus, denn sie reifen in unseren kurzen Sommern ohnehin kaum noch aus. So kann sich die ganze Kraft des doch eingeschränkten Wurzelwerks auf die belassenen Früchte konzentrieren, sie werden größer und

gehaltvoller. Gedüngt wird alle zwei Wochen, aber nur so lange, bis sich der letzte Blütenstand ausgebildet hat.
Die Blätter bleiben so vollständig wie möglich erhalten. Falls sie von unten her langsam lückig werden, läßt man von den Achseltrieben 1 oder 2 Blätter stehen, ehe der weitere Geiz abgeschnitten wird. Es ist ein Irrtum, daß die Früchte in der prallen Sonne schneller reifen. Das Gegenteil ist richtig, sie brauchen vielmehr Schutz vor der heißen Mittagssonne.
Neben den Kirschtomaten, Spalier- und Obsttomaten, Topf- oder Balkontomaten gibt es Fleisch- und Safttomaten, großfrüchtige Treib- und Freilandtomaten. Das Bundessortiment unterscheidet nur zwischen »unbegrenzt wachsenden« Sorten, die in der gärtnerischen Praxis als Stabtomaten bezeichnet werden, und Buschtomaten. Die unbegrenzt wachsenden Stabtomaten gliedern sich in 1 Gruppe mit 2 oder 3 Fruchtkammern. Das sind die »normalfrüchtigen« Sorten. Erst in den letzten Jahren haben sich großfrüchtige Sorten mit 4 und mehr Fruchtkammern durchgesetzt, die Fleischtomaten mit wuchtigen, oft stark gerippten Früchten bis 500 g Einzelgewicht. Zwischen diesen beiden Sortengruppen gibt es keine klare Abgrenzung; denn es wird immer nur ein bestimmter, von der Pflege abhängiger Anteil der Früchte derart riesig.
Aromatische Riesenfrüchte trägt die F_1-Hybride »Beefmaster«. Die Pflanzen werden 150 cm hoch und sind widerstandsfähig gegen Boden-, Stamm- und Blattpilze. An ihnen reifen mittelfrüh pfundschwere, mehrkämmerige Früchte, die saftreich sind und trotzdem gut schnittfest bleiben.
Ebenso schwer werden die fleischigen, mehrkämmerigen und mehrfach gekerbten Früchte einer anderen Züchtung, die teils als »Marmande«, teils als »Supermarmande« im Handel ist. Sie liefern an gesunden Trieben große Erntemengen, die besonders für Salate, südländische Gerichte und zum Grillen geeignet sind. Vielkämmrig sind weiter »Amfora«, halbgrün mit Höchst-

erträgen; »Cantatos«, an deren Fruchttrauben nur vier oder fünf Früchte ausreifen sollen, damit sie sich schön ausformen. »Master Nr. 2« und die halbgrüne »Dona«, die unbegrenzt wächst und sechs Früchte pro Traube trägt, die 150 bis 180 g das Stück wiegen. Hellfruchtsorten sind »Counter« mit früher, hoher Ernte von guter Qualität und bestem Geschmack und »Estrella« mit schweren, festen Früchten. Vom gleichen Typ sind »Creon«, zwei Wochen eher erntereif, »Hildares«, »Sobeto« und »Sonatine«. Mit 3 bis 5 Kammern wachsen vorwiegend halbgrüne Typen wie »Pyrella«, die mittelfrüh schöne, feste Früchte bringt. »Tango« wächst unbegrenzt und trägt große, festfleischige Tomaten zu früher Ernte. Noch früher reifen die roten, flachrunden, festen Früchte von »Tresor« mit 10 Fruchtständen auf 2 m Trieblänge. Ganz neue Farben und Formen bringen gelbe Tomaten ins Sortiment wie die birnenförmige »Yellow Pearshaped« für Freiland und Balkon.
Die kurz- und vieltriebigen Buschtomaten haben viele Handelsnamen wie Kirsch-, Cocktail- und Topftomate. »Tiny Tim« trägt eine große Zahl kirschgroßer Früchte, die zuckersüß, zugleich fruchtig und aromatisch schmecken. Sie brauchen keinen Haltestab und müssen nicht ausgegeizt werden. Das ist auch eine Besonderheit der Buschtomate »Patio«, denn sie bildet einen kurzen, dicken Stamm fast ohne Seitentriebe. Die runden, festen Früchte werden größer und schmecken ähnlich wie Fleischtomaten. »Maja« hält sich ebenfalls recht standfest, wächst mittelstark und mittelhoch, reift früh bis mittel kaum gerippt und geflammt. »Lycoprea« hält sich weniger steif, reift sehr früh bis früh mit geflammten, mäßig gerippten Früchten.
Eine Besonderheit ist die hochwachsende Spalier-, Obst- oder Kirschtomate »Sweet 100«, denn sie trägt Hunderte von winzigen Früchten bis 3 cm Durchmesser an langen Trauben. Die Triebe wachsen im Freien 150 cm, unter Glas bis 2 m hoch. Ihr besonderer Vorzug ist das reiche Aroma; die Früchte schmek-

ken selbst dann süß und fruchtig, wenn sie wenig Sonne bekommen.

Zucchini. Zucchini geben sich nicht als Kürbisart zu erkennen. Man bekommt sie auch als Zucchetti oder in den USA als Courgettes und Squash. Die rankenlosen, großblättrigen Zucchini mit Riesenblüten und vielen zylindrischen Früchten reifen seit länger als einem Jahrzehnt im Garten, bei Regen unter glasklarer Folie. Die Pflanzen brauchen eine gut mit Nahrungsvorräten angereicherte Humuserde, sie bekommen einen Startschub von 80 g/m^2, bevor im Mai direkt an Ort und Stelle ausgesät oder in Töpfen vorgezogene Jungpflanzen gesetzt werden. In dem Fall kann frühestens ab Ende Juni geerntet werden, sobald die Früchte 10 bis 25 cm lang sind. Je früher gepflückt wird, um so mehr Nachwuchs entwickelt sich. Außerdem schmecken die alten, angegelbten Zucchinis fade.
Die bekannteste Sorte nach der »Cocozelle von Tripolis« ist »Ambassador« mit gurkenähnlichen, glatten, dunkelgrünen Früchten, die in großen Mengen über einen längeren Zeitraum hervorgebracht werden. Das weiße Fruchtfleisch schmeckt am besten, wenn es eine Länge von 17 bis 20 cm hat. Die frühesten Fruchtansätze funkeln an der amerikanischen F_1-Supersaat »Diamant«. Sie lassen sich bis zum Herbst von den kompakten, offen wachsenden Büschen laufend abernten. »Goldrush« (»Goldrausch«) ist eine Hybride mit auffallend glatten, glänzenden, zart wohlschmeckenden Früchten, die früh schnittreif sind und bis zum Herbst ununterbrochen nachwachsen. »Vegetable Marrow« (»Long White Bush«) trägt lange, fast weißlich gelbe Früchte, »Black Beauty« lange dunkelgrüne.

Stielgemüse

Es gibt einige wenige Gemüsearten, von denen die Triebe oder Blattrippen verzehrt werden. Die bekanntesten Beispiele dafür sind Spargel und Rhabarber, der kein Obst ist, obwohl er als Kompott, Marmelade und Tortenbelag zubereitet wird. Neuerdings kommt Stangensellerie und Stielmangold hinzu; auch Rübstiel und Chrysantheme finden immer weitere Verbreitung. Die einen zählen zum Feinsten in der hohen Kochkunst, die anderen läßt man gerade noch als Hausmannskost gelten. Eine in sich höchst gegensätzliche Gruppe also, die aber ebenso zusammengehört wie Wurzel- und Blattgemüse. Was sie zusammenbringt und -hält, sind jeweils die verzehrten Pflanzenteile.

Cardy. Die Spanische oder Gemüse-Artischocke lohnt den Anbau im eigenen Garten, weil sie auf dem Markt so gut wie nie zu finden ist, obwohl sie so ausgezeichnet schmeckt. Sie ist außerdem eine der schönsten Gemüsearten, ein bis zu 2 m hoher Korbblütler, der von Staudengärtnern als reine Zierstaude angeboten wird. Er braucht nur einen geschützten warmen Gartenplatz, der in kalten Wintern vor Frost geschützt wird, und tiefgründig lockeren, humosen, warmen, feuchten, nahrhaften Boden. Viele Zuchtformen gibt es in deutschen Landen noch nicht, aber hier und da findet man »Van Tours« mit vollen, dikken, stacheligen Blattstielen, die bis 1 m hoch werden. Daneben gibt es zwei stachellose Sorten, die »Vollrippige«, weniger dick, aber breit und mitunter hohl (falls sie mangelhaft versorgt wurde), und »Pulvis«, ebenfalls breitstielig.
Damit sie voll versorgt sind, arbeitet man vor dem Auspflanzen

50 bis 60 g/m^2 Volldünger blau in den Untergrund ein und streut im Juli noch einmal 40 g/m^2 als Kopfdüngung. Wer die Jungpflanzen selbst heranziehen möchte, legt im März oder April einige Samen in 9- bis 12-cm-Töpfe und stellt diese bei 20 bis 22 Grad auf. Ab Ende April kann direkt ins Freiland gesät werden, je Saatstelle 3 bis 4 Körner 6 cm tief. Nur den stärksten Sämling läßt man stehen, nachdem alle fünf Blätter ausgebildet haben. Nach den Eisheiligen wird im Abstand von 1 m ausgepflanzt.
Wo der Boden austrocknet, wird reichlich gegossen. Gebleicht werden die Stiele ab September, indem die ganzen Pflanzen an einem trockenen Tag zusammengebunden und mit schwarzer Gartenfolie umwickelt werden. Es dauert etwa einen Monat, bis die Stiele soweit aufgehellt sind, daß man sie kurz über dem Boden abschneiden kann. Sie werden geschält, in 3 cm lange Stücke geschnitten, in heißem Fett mit Speckwürfeln gebraten und danach gedünstet. Vor den ersten Nachtfrösten müssen die Pflanzen abgeerntet sein. Andernfalls gräbt man sie aus und schlägt sie in eine mit Sand gefüllte Kiste ein, die in einem dunklen, luftigen, kühlen, aber frostfreien Kellerraum steht.

Chrysantheme. Die Chrysantheme ist ein vielseitiges Gemüse. Sie wächst wild vom Balkan bis nach Portugal. Überall weiß man die Blüten zu schätzen, wenn sie wie Holunderblüten in Teig getaucht und in Öl fritiert werden. Bevor sich die ersten Knospen bilden, können die Triebe gekocht und als Gemüse oder Beilage zu anderen Gerichten serviert werden. Bitter werden sie erst, wenn sie in Blüte gegangen sind. Die jungen Blättchen können, frisch und fein gehackt, statt Petersilie als Würzkraut zu vielen Gerichten gegeben werden.
Die Sorte »Chop Suey« wächst leicht und schnell und besitzt einen eigenen, ausgeprägt aromatischen Geschmack, der kennzeichnend für die chinesische Gemüsemischung »Chop-Suey-

Greens« ist. Ausgesät wird sie bei 15 Grad Celsius unter Glas, im Mai auf 15 mal 30 cm gepflanzt oder an Ort und Stelle gesät. Der Triebschnitt beginnt bei der mittleren Länge von 15 cm; ein paar Tage hält sie sich in der Vase. In jedem normal nahrhaften und feuchten Gartenboden wächst sie ohne weitere Nachhilfe über 1 m hoch und ist im Blütenschmuck ab Juli eine goldgelbe Margeritenschönheit.

Mangold. Rippen- oder Stielmangold gewinnt wieder Ansehen unter den Feinschmeckern, denn seine Blattstiele lassen sich, solange sie jung sind, wie Spargel oder Schwarzwurzeln zart und wohlschmeckend zubereiten. Die stärksten, bis zu 10 cm breiten Blattrippen bilden »Glatter Silber« und »Krauser Silber«, weiß zwischen dunkelgrünen, glatten oder krausen Spreiten. »Vulkan« bringt Farbe ins Sortiment, dunkelrote Stiele in rotgrünen Blättern. »Lukullus« bietet Rippen, die allerdings nicht ganz so breit sind, und gelbgrüne, krause Blätter, die als Blattgemüse verwendbar sind.
Die Pflanzen wachsen im Halbschatten bei jedem Wetter in jedem Gartenboden, der feucht und nährstoffreich ist. Zu kalt sollte es nicht werden, als Jungpflanze ist Mangold frostempfindlich. Längere Trockenzeiten in den späteren Frühjahrswochen vermeidet man im Garten mit Wassergaben.
Ausgesät wird im Freiland nicht vor Mitte April. Wer es eiliger hat, kann die Jungpflanzen auch im kalten Frühbeet vorziehen und auspflanzen, sobald sie 2 oder 3 Laubblätter gebildet haben. Die Aussaat an Ort und Stelle bringt jedoch ein besseres Gesamtergebnis. Die Samenknäuel enthalten 3- bis 5samige Früchte; deshalb muß weit gesät oder später vereinzelt werden. Der kleinblättrige Schnittmangold kann enger stehen, etwa 20 mal 15 cm, während Rippenmangold bis zu 40 cm allseitigen Abstand braucht.
Das Ausdünnen hat den Vorteil, daß die kräftigste Pflanze ste-

henbleibt, außerdem können unechte Keimlinge mit abweichender Blattfärbung ausgemerzt werden. Die Saattiefe richtet sich nach der Feuchtigkeit des Bodens. Je leichter und trockener die Oberkrume ist, um so tiefer müssen die Samen liegen, damit sie es feucht genug haben. Da die Keimlinge verhältnismäßig schwach sind, sollte man jedoch nicht tiefer als 4 cm gehen. Notfalls muß gegossen werden.
In der Folgezeit muß darauf geachtet werden, daß die jungen Mangoldpflanzen nicht vom Unkraut bedrängt werden. Solange es noch kühl ist, muß frühzeitig gehackt werden. Die ersten Stiele des Rippenmangolds sind knapp 4 Monate nach der Saat schnittreif. Bis in den Juni hinein sind Folgesaaten in der zweiten Tracht möglich, ebenso die Herbstsaat, so daß vom zeitigen Frühjahr an Frischgemüse aus dem Garten kommt. Als Winterschutz genügt eine Laubschicht von 5 cm Dicke, in schneereichen Gebieten kommt Mangold ohne Schutz durch den Winter.

Rhabarber. Die Stauden stehen im Garten oft länger als moderne Obstbäume. Deshalb brauchen sie tiefgründigen, leicht feuchten und säuerlichen Boden von 6,0 bis 5,5 pH. Pflanzzeit ist von Oktober bis in den November hinein, solange es nicht friert. An einem halbschattigen Platz verschiebt sich der Erntetermin.
Vor der Pflanzung wird Humus in die Pflanzstelle eingearbeitet. Auch eine Düngung mit kohlensaurem Kalk ist bei leichten Böden angebracht. Überhaupt muß reichlich gedüngt werden, da der Rhabarber einen hohen Mineralbedarf hat. Die Ernte des folgenden Jahres hängt von den bis zum Herbst aufgespeicherten Nährstoffen ab. Im zeitigen Frühjahr gibt man dem Rhabarber eine ausreichende Volldüngung, während im Sommer mit Stickstoff nachgedüngt werden muß.
Es gibt grün- und rotfleischige Sorten; die einen bringen einen etwas höheren Ertrag, die anderen haben einen zarteren

Geschmack. Wer viel ernten möchte, sollte sich »Holsteiner Blut« aussuchen, aber auch »Elmsblitz« oder »Elmsgigant« sind empfehlenswerte rotfleischige Sorten, die sich vielseitig verwenden lassen. Heute werden meist die rotstieligen Blutrhabarbersorten bevorzugt. Bewährt haben sich »The Sutton«, eine mittelfrühe, rotstielige und grünfleischige Sorte mit langen und kräftigen Stielen, die ertragreich und wüchsig ist; und »Holsteiner Blut«, eine mittelfrühe, rotstielige und manchmal rotfleischige Sorte mit mittellangen bis langen Stielen, die breit und ziemlich wüchsig ist. Andere wie »Holsteiner Rotstieliger« haben zwar äußerlich lange, rote Stiele, aber ihr Fleisch ist hellgrün. »Roter Prinz« ist eine rotstielige Auswahl von »Viktoria«, »Vierländer« und »Emsjuwel«.

Ein pflanzfähiges Wurzelstück sollte mehrere Knospen und ein Mindestgewicht von 1 bis 1,5 kg aufweisen. Wer gute Pflanzen besitzt, die sich durch hohen Ertrag, gute Stielbildung und Rotfärbung der Stiele auszeichnen, kann aus den alten Wurzelstökken das Pflanzgut gewinnen. Die Rhizome werden mit dem Spaten oder Messer in Teilstücke zerlegt.

Die Wurzelstücke werden senkrecht so tief eingesetzt, daß die Knospen eben mit Erde bedeckt sind. Schwachwachsende sollten etwa 1 m allseitigen Abstand haben, starkwachsende 20 cm mehr. Im ersten Jahr nach der Pflanzung wird nicht geerntet, damit sich die Pflanzen kräftigen.

Die Rhabarberernte beginnt je nach Standort und Witterungsverlauf um Anfang bis Mitte April. Bis Ende Juni, allenfalls noch einige Tage in den Juli hinein, darf geerntet werden, damit die Blätter genügend Aufbaustoffe erzeugen können, die in den Wurzelstock eingelagert werden. Nur dann sind die Pflanzen im nächsten Jahr in der Lage, kräftige Stiele in ausreichender Zahl zu treiben. Aus demselben Grunde erntet man nie alle Stiele auf einmal, sondern läßt immer so viel stehen, daß die Blattfläche für den weiteren Austrieb genügend Nährstoffe herbeischaffen

kann. Außerdem werden die Blütenstände rechtzeitig entfernt; wenn man sie abblühen ließe, verringerte das die Menge und Dauer der Ernte.
Eine reichliche Mineraldüngung sichert die große Wachstumsleistung. Im Herbst gibt man einen handelsüblichen Humusdünger. Da Rhabarberpflanzen 8 bis 12 Jahre auf der gleichen Fläche stehen, hohe Erträge bringen und viel Wasser brauchen, ist der regelmäßige Humusnachschub unerläßlich. Gegen Wurzelunkräuter sollte man eine Bodendecke auflegen. Nach dem Abdorren der Blätter ist ein leichtes Anhäufeln anzuraten, ohne daß dabei Wurzeln freigelegt werden, die erfrieren würden.

Rübstiel. Stielmus oder Rübstiel sind Stiele und Blätter zu dicht gesäter Herbst- und Mairüben, deren Laub aufrecht steht wie das der »Holländischen« oder »Weißen Mairübe«. Andere Auslesen heißen schlicht »Stielmus«, das war lange eine Spezialität des Rheinlandes. Neuer sind Namen wie »Geslu« und »Hymenia«; eine besonders schmackhafte Auslese ist »Namenia«, von der Blatt und Stiel zusammen gekocht werden. Hier ist eine ganz neue Verzehrgewohnheit von Speiserüben entstanden, man könnte auch sagen, eine neue Gemüseart. Ihr herzhafter Wohlgeschmack als Suppe, Beilage oder Salat ist über die rheinisch-westfälische Heimat hinaus bekannt geworden und findet in der neuen deutschen Küche zunehmend Anklang.
Ausgesät wird die erste Folge zu Jahresanfang kalt oder schwach temperiert bei 5 bis 10 Grad Celsius, man nimmt 4 bis 5 g Saatgut auf 1 m^2. Die ersten Blätter sind Mitte März schnittreif. Der zweite Satz folgt unbeheizt Mitte Februar und reift Mitte April zum Schnitt. Draußen im Freiland, von Klarsichtfolien geschützt, geht es von März bis Mai weiter, wobei sich die Reifezeit je nach Wärmemenge auf 6 bis 8 Wochen verkürzt.
Es kann geerntet werden, sobald die Blätter 10 cm Stiel haben. Sie werden 2 cm über dem Herz der Pflanze abgeschnitten, so

daß 2 oder 3 Ernten heranwachsen. Da die Blätter nicht lagerfähig sind, kommt es darauf an, mit Folgesaaten für Nachschub zu sorgen.

Stangensellerie. Stielgemüse vom Sellerie wurde früher gelb gebleicht verlangt. Das erklärt den Namen Bleichsellerie. Staudensellerie ist eine ungebleichte Variante mit grünen Blattstielen, die aus England und Südeuropa gekommen ist. Sie wird immer stärker verlangt, wie die zunehmenden Importmengen ausweisen. Die Sortenwahl beim gelben selbstbleichenden Stangensellerie ist einfach; denn in Versuchen haben sich zwei Namen als überlegen erwiesen: »Golden Spartan« und »Selfira« bleiben knackig und saftreich mit dem höchsten Stangengewicht. Bewährt haben sich weiter »Golden Self Blanching« (»Goldgelber Selbstbleichender«), wenn es auch zweckmäßig ist, die selbstbleichenden Sorten zu verdunkeln, weil sie danach zarter schmecken. Eine Standardsorte ist »White Pascal« (»Giant White« oder »Englischer Weißer«) mit hell weißgrünen Rippen. Die dickfleischigen, goldgelben Blattstiele von »Navajo« sind rund 30 cm lang über einen langen Zeitraum hinweg vom Beet erntefähig. Gelbgrün sind auch die Stangen von »Avonpearl«, außerdem dickfleischig und von bestem Geschmack. Die Nr. »52/75« ist so hervorragend schmackhaft, daß man ihre bis zu 26 cm langen Rippen roh verzehren kann.
Die dunkelgrünen »Utah«-Sorten werden von verschiedenen Anbietern (Royal Sluis, Wagner, Zwaan) empfohlen. Auch die selbstbleichenden Sorten sollte man verdunkeln, damit sie zarter schmecken.
Ausgesät wird Bleichsellerie im Februar oder März bei 20 bis 25 Grad Celsius. In Kisten oder Schalen wird das Saatgut dünn mit Erde zugesiebt, auf 5 mal 5 cm pikiert und ausgepflanzt, wenn sich am Setzling 6 Blätter gebildet haben. Der Boden soll feucht, aber nicht naß sein, nicht zu sandig und leicht, der pH-

Wert neutral. Wenn zuviel gekalkt wird, kann es passieren, daß die im Boden vorhandenen Borsalze für die Pflanzenwurzeln nicht aufnehmbar sind. Außerdem ist Sellerie auf einen gewissen Chlorgehalt angewiesen. Deshalb ist für die Mineraldüngung ein Volldünger mit Boranteil und Chloridbindung des Kaliums angebracht (wie in den roten Spezialdüngern). Ausgepflanzt wird enger als bei Knollensellerie, statt 67 Pflanzen auf 10 m^2 wie beim Knollensellerie rechnet man beim Stangensellerie bis zu 160 Jungpflanzen.
Damit sie sich leichter bleichen lassen, werden sie in eine Furche von 15 cm Tiefe gepflanzt, die später zugeschüttet wird. Sonst werden die Blattstiele, wenn sie etwa 2 cm breit sind, bis zum Blattansatz mit schwarzer Folie oder anderem Material umwickelt und zugebunden. Dabei muß man vorsichtig sein, damit sie nicht in der Verpackung naß werden und faulen. Nach vier Wochen sind die ersten Stangen eßbar.

Spargel. Länger als manche Obstkulturen liefert Spargel reiche Ernten, nämlich zwölf bis 20 Jahre lang. Um so wichtiger ist die gründliche Bodenvorbereitung. Der Gartenboden muß nicht sandig sein, auf den kleinen Flächen kann jeder Boden ausreichend gelockert werden. Um die Dämme aufzuschütten, werden ein paar Karren Sand angefahren, nachdem der Untergrund tiefgründig mit Humus und Nährstoffen angereichert wurde.
Die Sortenfrage ist in voller Entwicklung. Von der Deutschen Hochzuchtstation in Walbeck kommt »Huchels Leistungsauslesen«, der »Schwetzinger Meisterschuß« von der Südwestdeutschen Saatzucht in Rastatt. Vom Max-Planck-Institut für Kulturpflanzenzüchtung in Hamburg-Volksdorf gibt es über die neue Züchtung »Spaganiva« folgenden Bericht: Weißer Kopf ohne Blaufärbung nach dem Durchstoßen der Erdoberfläche. Die Sorte liefert deshalb bei der Bleichspargelkultur reinweiße Stangen, die sich nach dem Stechen nicht verfärben. Die Ernte

kann bis zum Durchstoßen der Erde hinausgeschoben werden, was eine erhebliche Arbeitserleichterung ist; denn man kommt an den meisten Tagen der Erntezeit mit einmaligem Stechen aus. Aus dem gleichen Grund ist die Sorte auch für die Grünspargelkultur geeignet. Die Stangen bleiben während der ganzen Stechzeit grün.

Gegenwärtig sind vier Sorten besonders empfehlenswert: »Ruhm von Braunschweig« in zahlreichen Typen, die beiden eben genannten Auslesen und »Spaganiva«, die auch als Grünspargel (s. S. 104) angebaut werden kann. Daneben ist »Lukullus« eine rein männliche Sorte mit hohen Erträgen. Angeboten werden weiter der sehr frühe »Limbras 22«, der mittelfrühe »Limbras 26« und der späte »Limbras 18«, »Limburgia« und Sorten mit verheißungsvollen Namen wie »Optima«, »Rekord« und »Sieg«.

Die beste Zeit für Spargelpflanzung ist im April. Man hebt 40 cm tiefe und ebenso breite Gräben aus, auf deren Grund eine Schicht aus 10 bis 15 cm Komposterde mit Torf gelegt wird, die in der Mitte etwas höher als am Rand ist. Die Jungpflanzen setzt man mit sorgfältig flach ausgebreiteten Wurzeln auf diesen Kamm, und zwar alle 40 bis 50 cm eine. Der Flächenertrag läßt sich steigern, indem enger gepflanzt wird. Bei 20 cm Abstand in der Reihe sind die Stangengewichte geringer als bei 50 cm, aber das Gesamtgewicht ist bei weiterer Pflanzenentfernung erheblich niedriger.

Da die Pflanzen in einer Richtung weiterwachsen, sucht man vorsichtig (die Wurzeln brechen leicht) in der Nähe des einjährigen Triebes nach einer Lücke im dichten Wurzelkranz. Dort setzen die Pflanzen ihr Wachstum fort, und das sollte in Richtung der Reihen weitergehen, sonst werden die Stangen immer kürzer. Anschließend bedeckt man die Wurzeln leicht mit 1 bis 2 cm Erde. Angegossen wird nicht, denn Spargel ist gegen Feuchtigkeit empfindlich. Im ersten Jahr bleibt der Graben offen, erst im zweiten füllt man auf das umgebende Niveau auf. Bevor der Spargel zum dritten Mal treibt, schichtet man über der Pflanzreihe einen 25 bis 30 cm hohen Wall aus scharfem Sand auf. Höhere Dämme verbessern keineswegs die Qualität der Stangen, sondern verzögern die Ernte. In der Haupterntezeit muß täglich 2 mal nachgesehen werden, wo die Spargelköpfe die glattgeklopfte Dammerde durchstoßen werden. Sie werden bis zum Ansatz freigelegt und sauber abgestochen. Wenn nicht vom unteren Teil der Spargelstange zumindest die Hälfte im Boden verbleibt, schwächt das die Pflanzen. Aus demselben Grund wird die Spargelernte pünktlich am Johannistag (24. Juni) beendet. Ein Tag längeres Stechen verringert die Erntemenge und -qualität des nächsten Jahres.

Um die Spargelpflanzen bis zum Herbst richtig pflegen zu können, werden unmittelbar nach der Ernte die Dämme eingeebnet, wobei die letzte Erde zwischen den Pflanzen mit der Harke heruntergezogen wird. Das ist die Gelegenheit, eine gründliche Volldüngung auszubringen, und zwar 100 g auf 1 m^2; 4 bis 5 Wochen später folgen noch einmal 50 g. Spargel im Ertragsalter wird nicht vorher gedüngt, weil die Pflanzen sonst kurzfristig so stark treiben, daß sie hinterher erschöpft sind. Erst in den letzten Jahren einer Anlage kann man mit einer Frühjahrsdüngung die nicht mehr voll leistungsfähigen Pflanzen zu gutem Ertrag bringen.

Da Spargel viel Humus im Boden braucht, muß beim Einebnen alljährlich Stallmist, Humusdünger oder Kompost untergemischt werden. Tiefere Bodenarbeiten verbieten sich, da die Sprosse beim Durchtreiben nicht gestört werden dürfen. Zum weiteren ungehinderten Wachstum der Spargeltriebe gehören nun nur noch Unkrautbekämpfung und Pflanzenschutz.

Grünspargel: Er hat gesundheitlich einen viel höheren Wert, weil er unter dem Einfluß des Sonnenlichts Karotin und Vitamin C bildet. Bleichspargel enthält nicht die geringste Spur davon. Außerdem schmeckt Grünspargel kräftiger, die Stangen sind zarter und müssen weniger lange gekocht werden. Für die Tiefkühltruhe sind sie besser geeignet. Dämme sind überflüssig. Man läßt die Stangen etwa 15 cm herauswachsen und schneidet sie dann 1 bis 2 cm unterhalb der Erdoberfläche ab. Dabei kommt es nicht auf den Tag an.

Grünspargel läßt sich in normalen Gartenböden anbauen, die für bleiche Spargel nicht mehr sinnvoll wären. Man sucht sich für die 15 Jahre stehenbleibende Kultur einen sonnigen Platz und durchmischt die Krume mit reichlich Humus. Zur Pflanzung verwendet man dieselben Sorten wie im Bleichspargelanbau. Wichtig ist, daß man einjährige Jungpflanzen bezieht, die etwa 5 bis 6 Knospen und 10 bis 12 cm lange, dicke, fleischige Wurzeln aufweisen. Die beste Pflanzzeit ist von März bis Anfang April.

Im Reihenabstand von 1 m hebt man flache Gräben 10 bis 15 cm tief aus und setzt die Jungpflanzen im Abstand von 40 cm auf flache Erdhügelchen. Dabei verteilt man die Wurzeln sorgfältig nach allen Seiten und richtet die Sproßknospe so aus, daß sie in Richtung der Reihen weist. Auf diese Weise erreicht man, daß die Pflanzen innerhalb der Beete geradlinig weiterwachsen. Zunächst füllt man nur so viel der humosen Erde in die Pflanzgräben, daß die Knospen etwa 5 cm hoch bedeckt sind. Erst wenn die Pflanzen voll durchgetrieben haben, füllt man die Furche ganz mit Erde aus.

Im ersten und zweiten Jahr nach der Pflanzung darf noch nicht geerntet werden; auch im dritten Jahr sollte man höchstens bis Anfang Juni schonend stechen. Erst nach dieser Schonfrist erntet man bis etwa zum 20. Juni, sobald die leicht grünlich-violett verfärbten Stangen 15 bis 20 cm aus dem Erdboden herausschauen. Das ist bei warmem Wetter etwa jeden zweiten Tag der Fall. Man sticht die Stangen mit einem scharfen Messer kurz unter der Erdoberfläche ab.

Würzgemüse

Einige Küchenkräuter wie Petersilie und Schnittlauch werden regelmäßig zu den Blatt- oder Zwiebelgemüsen, andere wie Sellerie und Meerrettich zu den Wurzelgemüsen gestellt. Systematisch bilden sie jedoch eine eigene Gruppe, weil sie nicht als Gemüse für sich zubereitet werden, sondern zum Würzen anderer Speisen dienen. Es sind jedoch auch keine Küchenkräuter wie Bohnenkraut und Dill, weil sie nicht nur den Geschmack verändern, sondern auch als Teil von Mischgemüsen oder Salaten mit verzehrt werden. Zwiebeln sind mal Würze, mal französische Suppen-Spezialität; ja sogar als Tortenbelag begegnet man ihnen in Süddeutschland. Von Knoblauch oder Meerrettich eine Beilage zu kochen ist undenkbar. Beim Paprika und anderen mischt sich das in einer Art: Die scharfen kommen in den Streuer, die süßen in den Topf. Blattpetersilie und -sellerie sind eindeutig reine Gewürze, ihre Knollen deftiges Gemüse. So tauchen sie hier wie dort auf. Daher bleibt gar nichts anderes übrig, als aus beiden zusammen eine neue Gruppe zu bilden, die Würzgemüse.

Knoblauch. Damit Knoblauch das ganze Jahr erntereif ist, pflanzt man die eine Hälfte der Zehen im April und erntet im Juli und August, die andere Hälfte steckt man im September/ Oktober für die Ernte im Frühjahr im Abstand von 15 mal 15 cm sowie 25 mal 15 cm. Sie verlangen mittelschweren bis schweren, tiefgründigen, gut bearbeiteten Boden und Volldünger von 25 bis 30 g auf 1 m^2. Der Standort sollte sonnig sein und gleichmäßig feuchtgehalten werden, ohne stehende Nässe.

Die Pflege in den Sommerwochen begnügt sich mit zwei- oder dreimaligem Hacken. Sobald die Stengel trocknen, nimmt man die Zwiebel heraus und läßt sie einige Tage in der Sonne liegen, um nachzutrocknen. Danach kann man sie zu Zöpfen flechten und aufhängen.
Ursache der Heilkraft ist das ätherische Öl mit seinem Inhaltsstoff Allicin. Es besitzt eine antibakterielle Wirkung, wirkt bei vielen infektiösen Erkrankungen vorbeugend und heilend, fördert die Verdauung und senkt den Bluthochdruck. Eine Nebenwirkung des rohen, nicht des gekochten Knoblauchs ist der durchdringende Geruch, der von Haut und Atem der Knoblauchesser ausströmt und einige Tage anhalten kann. Das muß nicht sein; kleinste Spuren von Knoblauch reichen, um Fleischgerichten, Suppen, Salaten den letzten Pfiff zu geben. Frische Knoblauchzehen werden fein gehackt oder mit Salz zerdrückt und in kleinen Mengen den Speisen zugefügt. Bei Salaten reicht es, die Schüssel mit einer halben Zehe auszureiben.

Knolau. Bei Zwiebeln und Laucharten gibt es Grenzfälle wie diesen Knoblauch-Schnittlauch, der keine Zwiebeln bildet, sondern dicke, hohle, aber flache Schlotten treibt, die entfernt an Grashalme erinnern. Ausgesät wird er zwischen März und August, dünn in Reihen von 20 cm Abstand oder in Horsten wie Schnittlauch, bis 2 cm tief. Knolauch wünscht einen nicht zu schweren Boden und mineralische Düngung. Vor der Saat wird nicht gedüngt. Die Samen gehen langsam auf, die Keimlinge entwickeln sich anfangs zögernd. Nach Bildung des zweiten Laubblattes sind 50 g/m^2 Volldünger auszustreuen, flach einzuarbeiten und einzuwässern. Einen Monat später gibt man nochmals 30 g/m^2. Nach drei bis vier Monaten sind die Pflanzen 30 bis 40 cm hoch.
Die Blätter und weißen Blüten schmecken aromatisch nach Knoblauch und werden ebenso wie dieser oder wie Schlotten-

zwiebeln verwendet. Es ist eine angenehme Salatwürze. Das Laub ist von Frühjahr bis Spätherbst im Blumentopf auf der Fensterbank schnittfähig und sieht dort ganz hübsch aus, wenn die zierlichen Alliumblüten darüber stehen.

Meerrettich. Schärfer als Rettich und auch gesünder ist der Meerrettich. Die starken ätherischen Öle haben eine antibiotische Wirkung und werden deshalb bis heute in der Medizin gebraucht. Auf dem Markt sind die Wurzeln selten zu finden; denn der Anbau ist eine Besonderheit kleinbäuerlicher Intensivbetriebe in einigen Gebieten, bei Hannover, um Hamburg und im Bayerischen. Wer also scharf auf Rettich ist, baut ihn deshalb im Garten an.
Da es bis heute keine regelrechten Sorten gibt, wird von Herkünften gesprochen. Nach Blattform und Größe der Stangen unterscheidet man die Bayerische, Spreewälder und Hamburger Form. In ihren Klimaansprüchen unterscheiden sie sich nicht, sie sind in jedem Fall gering. Ebenso wünschen sie alle tiefgründige, humose, feuchte, lehmige Sandböden, die je nach pH-Wert gekalkt werden müssen.
Das Pflanzmaterial erhält man unter dem Namen Fechser von größeren Versandgärtnereien. Fechser sind federkielstarke, 20 bis 25 cm lange Nebenwurzeln der vorjährigen Stangen. Ihr unteres Ende ist im allgemeinen schräg abgeschnitten, weil nur dort Wurzeln wachsen. Bevor man sie mit dieser Sorte nach unten schräg einpflanzt, reibt man die ganzen Setzlinge gründlich mit einem rauhen Lappen ab, um alle dazwischen befindlichen Augen zu beseitigen. Nur die Enden verschont man, weil aus ihnen Wurzeln und Blätter treiben sollen.
Die einfachste Art, Meerrettich im Garten anzubauen, ist es, ihn in einer abgesonderten Gartenecke wild wachsen zu lassen. Abgesondert muß dieser Winkel deswegen sein, weil der Meerrettich sich schnell nach allen Richtungen hin ausbreitet und

hartnäckig allen Versuchen widersteht, den Boden wieder meerrettichfrei zu machen. Jedes kleinste Wurzelstückchen treibt wieder aus und wächst schnell zu einer stattlichen Größe heran. Dadurch erneuert sich der Bestand immer wieder. Gerade aus diesen Gründen lohnt es sich jedoch auch, Meerrettich beetweise anzubauen.

Der Boden muß vor der Pflanzung bis 40 cm Tiefe sorgfältig mit kleinen Stichen umgegraben werden, denn er muß locker sein. Dabei bringt man zugleich die Grunddüngung und den Humus unter. Gepflanzt wird im zeitigen Frühjahr oder Herbst im Abstand von 70 bis 80 cm. Man zieht 10 cm tiefe Furchen, legt die Wurzeln handbreit voneinander entfernt hintereinander hinein, mit dem Kopfende in eine Richtung. Das untere Ende drückt man in die Rillen hinein und biegt die oberen Enden beim Abdecken mit Erde nach oben. Anschließend wird angehäufelt. Während des Sommers wird insgesamt 3mal gehackt: Das erste Mal im Mai, wenn die Blätter etwa 20 cm lang sind, das zweite Mal im Juni/Juli und das dritte Mal zum Herbst hin.

Die meiste Mühe bereitet das Ausgeizen und Abreiben. Ausgegeizt wird, sobald die Blätter 8 bis 10 cm lang geworden sind, und zwar beläßt man nur den kräftigsten Blatttrieb und entfernt alle übrigen. Mitte Juni legt man die Fechser bloß und schneidet alle größeren Seitentriebe bis auf die des unteren Endes mit einem scharfen Messer glatt an der Hauptachse ab. Die feineren Würzelchen reibt man mit einem groben Tuch ab. Diese Maßnahme hat den Zweck, gleichmäßige, unverzweigte Stangen zu erzielen. Anschließend deckt man die Wurzeln wieder mit Erde ab.

Die Ernte beginnt, sobald das Laub abstirbt, zwischen Ende Oktober und Anfang November. Man hebt die Stangen aus dem Boden, klopft die Erde ab und reinigt sie mit einem Tuch. Das Laub wird vorsichtig abgedreht. Alle Wurzelreste werden sorgfältig aufgesammelt.

Petersilie. In der guten Küche ist Petersilie als Vitaminspender, zum Würzen zahlloser Speisen und nicht zuletzt zum Verzieren kurz vor dem Anrichten unentbehrlich. Von der variationsfreudigen Pflanze werden nicht nur die glatten oder gekrausten Blätter verwendet, auch die Wurzeln werden als Gemüse oder zum Treiben geerntet.

Das überschaubare Sortiment unterscheidet die glattblättrigen von den krausblättrigen, die offenbar stark bevorzugt werden. Die glattblättrigen heißen einfach »Schnitt« oder »Hamburger Schnitt« oder »Einfacher Schnitt«. Von dieser gibt es eine besonders großblättrige, ertragreiche Variante namens »Gigante d'Italia«, die aber nach dem zweiten, dritten Schnitt schießt, wenn das Wetter ungünstig ist. Die krausen haben sprechende Namen wie »Mooskrause« oder »Wuschelkopf«, für feine Leute »Frise vert fonce« oder »Frison«, eine verbesserte mooskrause »Claudia«, die durchweg dunkelgrün und fein gekräuselt sind. Noch dunkelgrüner ist »Darki« mit großer Erntemenge von höchster Qualität. »Hilds Grüne Perle« trägt dicht gekrauste, schwere sattgrüne Blattpolster auf starken Stielen. Extra stark, lang und straff sind die Blattstiele von »Bravour«; darauf stehen winterhart und fein gekraust dichte, dunkelgrüne Blattschöpfe.

Ausgesät wird Wurzelpetersilie im März oder April mit Abstand von 20 bis 25 cm 2 bis 3 cm tief in gut gelockerten Boden, auf dem mehrere Jahre keine Petersilie gewachsen ist. In der Reihe wird so verzogen, daß die stärksten Keimlinge 10 cm Abstand haben. Das kann einige Wochen dauern, in denen es nicht an Feuchtigkeit fehlen darf. Während der Keimphase legt man deshalb eine transparente Schlitzfolie auf das Beet, die aber zugleich das Unkraut mächtig heraustreibt. Darum helfen einige Radieschensamen, die Reihen zu markieren.

Es gibt keine andere Gemüsekultur, die so lange braucht, bis die Wurzeln erntereif sind. Bis zu neun Monaten müssen die Wur-

zeln im kalkhaltigen Humusboden genug Nährstoffe finden. Eine Bodendecke aus organischen Düngemitteln mit einem Vorratsdepot an mineralischem Volldünger läßt nach und nach die nötigen Hauptnährstoffe und Spurenelemente zu den Wurzeln fließen.
Ende Oktober, Anfang November werden die Wurzeln gerodet. Beim Ernten sortiert man alle schwächlich gewachsenen Wurzeln aus, um sie alsbald in der Küche zu verwerten. Von den größten Wurzeln rupft man die Blätter ab, ohne die fünf oder sechs Herzblätter zu verletzen. Sind die Wurzeln etwas zu lang, kürzt man die Spitzen ein, damit sie sich leichter einschlagen lassen.

Schnittlauch. Das ganze Jahr über wird Schnittlauch in der Küche verlangt. Es wird deshalb im Februar oder März so reichlich ausgesät, daß es für die Sommerernte und daneben zur winterlichen Treiberei langt. So früh im Jahr braucht die Aussaat von 50 g auf 1 m^2 leichten Schutz im schwach beheizten oder kalten Frühbeet. Die Sämlinge stehen in engen Reihen und bleiben so, denn im April oder Mai entnimmt man ihnen jeweils kleine Büschel und pflanzt sie im Abstand von 20 mal 20 cm an einen feuchten Gartenplatz.
Zugleich gibt man ein bißchen Mineraldünger hinzu, gerade so viel, damit die Halme zügig wachsen, auch wenn sie bis zu dreimal im Jahr abgeschnitten werden. Auf diese Weise wird verhindert, daß sie blühen und dabei viele Aufbaustoffe verschwinden. Mit dieser geringen Nachhilfe geht die Schnittlauchernte auch im zweiten Jahr weiter. Läßt der Schnittlauch im Trieb nach, kann man die Horste teilen. So verjüngt, fängt er aus Seitenzwiebeln wieder von neuem an, rasch und stark zu treiben. Für die Aussaat kann man nur ganz frischen Schnittlauchsamen verwenden, weil er schon nach einem Jahr seine Keimkraft verloren hat.

Aus der Wildform haben sich Züchtungen mit normalen oder feinen, mittelgroben oder groben Röhren entwickelt. Meist werden sie mit dem Namen »Schnittlauch« und dem Zusatz »fein«, »mittel«, »grob« oder »stark« bezeichnet. Bei den Wagner-Sorten sind daraus Kürzel gemacht worden: »Fero« (feines Rohr), »Miro« und »Staro«. Es sind Spezialzuchten für alle Fälle, im Freiland und unter Glas. Hild hat mit dauernder Auslese gute Stämme von »Grobröhrig Hilds Polycross« erzielt, die früh und gleichmäßig austreiben, dunkelgrün, stark und aufrecht wachsen, im Freiland und bei der Treiberei hohe Ernten liefern. Auch die »Neue Ernte« von Mittelgrobröhrig keimt flott und wächst mit mittelstarken, straffen Halmen.
Für das winterliche Treiben kann man keine Schnittlauchbüschel verwenden, die bis Oktober regelmäßig abgeerntet wurden. Sie müssen im Mai oder Juni an einen gesonderten Platz ausgesät werden. Der Boden muß reichlich mit Nährstoffen versorgt sein. Bis zum August reifen die Pflanzen heran, es wird nur einmal geschnitten. Danach nimmt man die Pflanzen heraus und läßt sie abtrocknen, bis die Halme vergilbt sind. Sie machen eine 6- bis 7wöchige Ruhepause durch, bis man im Oktober das vertrocknete Laub abschneidet und die Wurzeln kürzt.
Auf die Treiberei wirkt es sich gut aus, wenn die Stöcke leicht durchfrieren. Danach versetzt man ihnen einen Wärmeschock von 8 Stunden in einem Wasserbad von 40 bis 45 Grad Celsius. Dann topft man sie in Töpfe von 12 bis 14 cm Durchmesser ein.
Zum Treibbeginn im hellen, normal geheizten Zimmer sollen etwa 15 Grad herrschen, danach bis 20 Grad. Ebenso wichtig wie die Luftfeuchtigkeit ist regelmäßiges Gießen. Es muß immer genügend Wasser im Topf sein, sonst trocknen die Wurzeln ein und treiben nicht wieder aus. Abgetriebene Pflanzen kann man in den Garten setzen, zum Treiben sind sie aber nicht mehr zu gebrauchen.

Sellerie. Knollensellerie ist im Anbau so einfach wie andere Wurzelgemüse. Er liebt humosen, durchlässigen Boden, jedoch nicht zu schweren oder zu trockenen, sonst stellt sich Rost ein. Die gebeizte Saat wird Mitte März in Saatschalen bei einer Temperatur von 25 Grad Celsius ausgesät, leicht angedrückt und angegossen. Der Samen wird nicht mit Erde abgedeckt, da Sellerie ein Lichtkeimer ist. Um das ideale feuchtwarme Klima zu erhalten, wird die Schale mit einer Plastikfolie abgedeckt und die Aussaat immer gut feucht gehalten. Nach dem Auflaufen wird die Haube entfernt, damit die Keimlinge Luft bekommen. Pikiert wird nicht zu tief, sobald die Pflanzen 1 bis 2 cm groß sind, im Abstand von 5 mal 5 cm. Sellerie gedeiht am besten in Substraten mit wenig Torf.

Ausgepflanzt wird nach Mitte Mai, sobald die Eisheiligen vorüber sind; denn niedrige Temperaturen führen dazu, daß zahlreiche Pflanzen schossen und ein beträchtlicher Teil der Knollen ausfällt. Vor der Pflanzung gibt man auf einen normal versorgten Boden 50 g/m^2 borhaltigen Volldünger als Grunddüngung. Anfang Juli und Anfang August düngt man je 50 g/m^2 nach. Wie beim Pikieren darf Sellerie draußen nicht so tief gepflanzt werden, daß die Knollenansätze Bodenkontakt haben. Knollensellerie braucht einen Pflanzabstand von 50 mal 40 cm, denn in zu dichter Pflanzung kann sich der Sellerie nicht voll entwikkeln.

Ausreichende Feuchtigkeit ist sehr wichtig für Knollensellerie. Selbst in feuchten Jahren bringt zusätzliches Gießen höhere Erträge. Weiter sollte man die oberste Bodenschicht wiederholt lockern, womit die Unkrautbekämpfung verbunden ist. Bewährt hat sich zudem eine Kopfdüngung mit Salpeterstickstoff zur Zeit des üppigsten Wachstums.

Ab Mitte Juli legen sich die äußeren Blätter auf den Boden. Sie sollten nicht entfernt werden, da sie Schatten bieten und verhindern, daß der Boden austrocknet. Die Knollen dürfen nicht zu früh geerntet werden, denn sie nehmen erst mit den kürzer werdenden Tagen richtig an Gewicht zu. Bei normalem Wetter sollte die Ernte erst Ende Oktober/Anfang November anfangen. Sinken die Temperaturen unter minus 3 Grad Celsius, hilft Abdecken mit Gartenvlies, ab 6 Grad minus muß geerntet werden.

Zwiebel. Eine ganze Reihe der Zwiebelgemüse werden ebenfalls überwiegend als Würzgemüse verwendet. Da sie jedoch eine eigene traditionelle Gruppe von Gemüsearten unter sich vereinigt haben, sind sie dort gemeinsam zusammengefaßt worden (s. S. 27 bis S. 33).

Gewürzkräuter

Gewürzkräuter sind weitgehend anspruchslos und brauchen nicht viel Platz. Im Gemüsegarten muß nur für die ausdauernden, mehrjährigen Stauden eine feste Ecke eingerichtet werden. Die einjährigen sät man in die Mischkulturen, wo gerade ein bißchen Platz zwischen den Reihen ist. Viele von ihnen sehen so hübsch aus, daß man sie ohne weiteres in den Ziergarten säen kann.

Anis. Aussaat im März oder April in leichten, kalkhaltigen Boden in voller Sonne; Abstand 20 bis 25 cm, 0,5 g Saatgut auf 1 m^2; geerntet wird, sobald die Kerne sich bräunen; trocken, kühl, luftig aufbewahren; verwenden zu Backwaren, Obst- und Gemüsegerichten, Likör.

Basilikum. Sorten wie »Feinblättriges«, »Großes Grünes«, »Opal« (rotblättrig) werden vorgezogen ab April halbwarm unter Glas; ausgepflanzt oder direkt ins Freie gesät ab Mai; Abstand 20 bis 30 cm, 0,3 g Saatgut auf 1 m^2; Lichtkeimer, darf also nicht abgedeckt werden und gedeiht in voller Sonne sowie normaler Gartenerde; geerntet werden junge Blätter und Triebe laufend nach Bedarf als Universalgewürz für zahlreiche Gerichte.

Beifuß. Aussaat im März oder April auf 40 mal 50 cm, in volle Sonne auf trockenen Kalkboden; die Blütenrispen werden geerntet, ehe sie sich geöffnet haben; verwendet als Bratenwürze.

Bohnenkraut. Einjährig oder mehrjährig als Winter- oder Bergbohnenkraut, ausgesät ab Mai, 25 bis 30 cm Abstand, 0,8 g Saatgut auf 1 m^2; leichte, kalkhaltige Böden und leichter Winterschutz für die mehrjährige Art, alte Stöcke sollte man teilen; bis August wird zwei- oder dreimal geerntet; verwendet wird es zu Hülsenfrüchten, frisch oder getrocknet für zahlreiche andere Gerichte; hält die Motten aus dem Kleiderschrank.

Borretsch. Eine schönlaubige, einjährige Zierpflanze, wird direkt gesät zwischen März und Juli, zur Winterernte in Pflanzgefäß, 30 cm Abstand, 0,5 g Saatgut auf 1 m^2; junge Blätter und Triebe würzen Salate und viele andere Speisen.

Dill. Einjährige Sorten wie »Blattruh« und der Tetradill »Goldkrone« mit höheren Erträgen werden von April bis Juni ausgesät auf 25 bis 30 cm Abstand, 4 g Saatgut auf 1 m^2; die frischen Blätter erntet man vor der Blüte, später wird die ganze Pflanze in Bündeln getrocknet, sobald die Samen anfangen, braun zu werden; sie dienen als Gewürz zu vielen Gerichten, Quark, Gemüsen.

Estragon. Mehrjährig, wird vorgezogen ab Mai, ausgepflanzt auf 40 mal 40 cm in warmen, lockeren Humusboden; die Pflanze verträgt Halbschatten, braucht leichten Winterschutz in rauhem Klima; junge Blätter und Triebspitzen werden laufend geerntet und würzen Salate, Soßen, Rohkost, Gurken, als Kräuteressig oder -senf.

Kerbel. Die einjährige Pflanze wird alle 14 Tage ab März oder Mai ins Freiland gesät, Reihenabstand 8 bis 10 cm, 2 g Saatgut auf 1 m^2 in gut gelockerten, humosen, ausreichend feuchten Boden mit 40 g/m^2 Volldünger blau; erstmals kann nach 6 bis 8 Wochen geerntet werden; bereichert als frisches Grün Tomatensalat, Soßen und Suppen.

Koriander. Meist einjährig ausgesät im März oder April auf 25 mal 12 cm in leichten Kalkboden an einen geschützten Platz mit 0,5 g Saatgut auf 1 m^2; frisch geerntet wird er als Gewürz zu Salaten, Roh- und Diätkost, bei Fleisch zu Marinaden verwendet; getrocknete Körner braucht man als Backgewürz für Pfefferkuchen, zu eingelegten Früchten und Likör.

Kümmel. Für zweijährige Kultur Aussaat im April oder August auf 35 mal 10 cm, 1 g Saatgut auf 1 m^2; in leichten Böden in Sonne bis Halbschatten; die Samen werden geerntet, sobald sie anfangen, sich zu verfärben; sie machen viele Gerichte schmackhafter und bekömmlicher, vor allem Sauerkraut; das frische Grün verwendet man für Salate und Quark, Brotaufstrich und Käse.

Liebstöckel. Das mehrjährige Maggikraut sät man im April oder August in 50 cm Abstand; es wächst in Sonne wie Halbschatten, auch in kühlen Lagen und feuchten Böden; es liefert 15 Jahre lang Blattgewürz für viele Gerichte frisch und getrocknet.

Majoran. Nach Aussaat unter Glas ab März oder im Freiland ab Mai auf 20 mal 15 cm mit 1 g Saatgut auf 1 m^2 folgt die ein- oder zweijährige Kultur auf sonnigen, leichten, humosen Böden; geerntet wird vor der Blüte, die jungen Blätter und Triebe würzen frisch oder getrocknet Fleischgerichte, Salate, Soßen, Gemüse.

Pfefferminze. Die mehrjährigen Wurzelausläufer werden im März oder April in Reihen von 30 cm Abstand ausgelegt; die Pflanzen gedeihen in Sonne wie Halbschatten, feuchten, aber durchlässigen Böden; die jungen Blätter werden laufend früh morgens oder abends geerntet und bei unter 35 Grad getrocknet;

man verwendet sie zu Roh- und Diätkost, Fleischgerichten, Suppen, Soßen.

Portulak. Die einjährige Kultur beginnt im Mai mit Aussaat in 20 cm Abstand, 0,5 g Saatgut auf 1 m^2 auf warmen, leichten, sonnigen Gartenböden in Folgen, da die Pflanzen schon nach vier Wochen schnittreif sind und ältere Triebe bitter werden; die jungen Blätter dienen frisch oder eingesalzen als Vitaminzusatz und Würze bei salzarmer Diät, in Salaten, Soßen, Suppen, Gemüse. Im Winter kann man sie im Blumentopf heranziehen.

Rosmarin. Die mehrjährige Staude vermehrt sich aus Stecklingen im Sommer oder ausgesät ab Februar unter Glas, ab Mai direkt ins Freiland an trockene, sonnige Stellen; junge Blätter und Triebspitzen erntet man hauptsächlich während der Blütezeit bei schönem Wetter; getrocknet bei 35 Grad im Schatten als Gewürz zu Braten bei Lamm, Wild, Fisch, Geflügel, Pilzen.

Salbei. Der mehrjährige Lippenblütler wird ab Februar unter Glas vorgezogen oder ab Mai direkt ins Freiland gesät; 2 g Saatgut auf 1 m^2; Stecklinge oder Jungpflanzen kommen in sonnige, geschützte Kalkböden; junge Blätter und Triebe kann man ganzjährig ernten, zum Trocknen pflückt man sie vor der Blüte; verwendet werden sie als Braten- und Soßengewürz, zu Fisch, Salat, Quark und Kräuterbutter; sie werden aber nie mitgekocht.

Thymian. Für mehrjährige Kultur Aussaat ab Februar unter Glas oder im April bis Mai im Freiland, 0,7 g Saatgut auf 1 m^2; in trockenen, durchlässigen, mageren Boden; später können die Stauden geteilt werden; junge Blätter und Triebspitzen werden vor der Blüte geerntet, frisch oder getrocknet zu Salaten, Soßen, Suppen, Fleischgerichten gegeben.

Tripmadam. Auch diese Dickblattgewächse von *Sedum reflexum* sind mehrjährig; ausgesät wird im Saatbeet, weil die Samen sehr fein sind und nicht abgedeckt werden darf, sondern nur angeklopft; die Pflanzen sind anspruchslos in Sonne und trockenem Boden; die Blätter werden frisch zu Salaten, Soßen, Suppen, Rohkost und Rindfleisch gegeben.

Ysop. Die mehrjährige Kultur beginnt mit Vorkultur ab Februar unter Glas oder Direktsaat ab Mai ins Freiland mit 0,8 g Saatgut auf 1 m^2 und 30 mal 20 cm Abstand; in leichten Böden an kalkhaltigen, sonnig trockenen Stellen, sie werden leicht angehäufelt; die frischen Blätter werden kurz vor der Blüte gepflückt und verwendet für Salate, Soßen, Suppen, Fisch, Fleisch, Roh- und Diätkost.

Zitronenmelisse. Das mehrjährige Kraut wird ab März in Saatkisten vorgezogen, da es acht Wochen bis zur unregelmäßigen Keimung dauert; ausgepflanzt wird im Mai oder später in volle Sonne auf sandigen, humosen Lehmboden; die jungen Blätter und Triebspitzen schmecken erfrischend nach Zitrone und werden statt Essig zu Wild, Pilzen und Fischen verwendet, aber nie mitgekocht.

Pilzgemüse

Es gibt mehrere ernsthafte Gründe, auf Wildpilze aus dem Walde zu verzichten. Deshalb haben sich die Kulturpilze im Garten schnell zu einer völlig neuen, aber lukrativen Sparte des Gartenbaus gemausert. Auch die Erträge können sich sehen lassen. Pilzanbau ist keineswegs schwierig, im Gegenteil: Sind die Bruten erst einmal geimpft, bringen sie am richtigen Platz ohne jede weitere Pflege lange, reiche Ernten. Sie schmecken nicht nur gut, sondern sind außerdem reich an Mineralen, Vitaminen und teilweise sogar heilkräftigen Wirkstoffen.

Champignon. Im Schatten von Obstbäumen, auf der Nordseite von Hügelbeeten, aber auch auf ganz normalen schattigen Gartenbeeten lassen sich flach dachziegelförmige Pilzhügel für den Champignon anlegen. An geschützten Plätzen, wo der Boden nicht zu feucht ist, oder auf guter Dränage können Tiefbeete angelegt werden. Man hebt dazu die Erde 30 cm tief aus und schüttet ringsum einen flachen Wall auf. In die Mulde wird das Substrat gepackt und eine Folie darüber gezogen. Nach etwa einer Woche wird im Abstand von 15 bis 20 cm jeweils eine Handvoll Brut eingesteckt, fest angedrückt und nach dem Durchwachsen eine Handbreit Deckerde darübergezogen. Solange die Temperaturen zwischen 15 und 25 Grad bleiben, läßt man das Beet offen liegen. Bei Regen und Sonne wird Folie darüber gezogen. Nur wenn die Deckerde austrocknet, muß gesprüht werden, aber ohne daß Wasser in das darunterliegende Substrat läuft. Das geht selbstverständlich nur, solange nicht gerade Pilzkörper heranreifen. Die beim Ernten entstehenden Löcher werden sofort wieder mit Deckerde ausgefüllt.

Träuschling. Der Rotbraune Riesenträuschling wird im Handel verbreitet als »Braunkappe« angeboten. Die Kultur ist ganz einfach, wenn man von einer Pilzfarm den bereits durchwachsenen Strohballen mitbringt. Wer selbst spicken will, braucht frisches, glänzend gelbes Stroh. Es wird durchdringend gewässert, am besten auf dem Beet, denn voller Wasser werden die Ballen zentnerschwer und lassen sich kaum noch bewegen. Bevor die Pilzbrut in den Ballen eingelegt wird, muß dieser bis zum nächsten Tag trocknen, falls es regnet, unter Folie. Das gilt auch für die nächsten drei bis vier Wochen. Auf die Jahreszeit kommt es nicht an, so daß die Pilze im Freiland auch den Winter überstehen. Nur während des Spickens und in der Keimphase sollte es nicht zu kalt sein.
Wenn die flach liegenden Strohballen etwa 40 cm hoch sind, sollte die Pilzbrut etwa in halber Höhe liegen. Dazu bohrt man mit einem spitzen Pflanzholz 12 bis 15 Löcher vor. Darin wird die in gleichmäßig große Stück gebrochene Pilzbrut verteilt. Mit einem stumpfen Stab wird sanft nachgedrückt, nicht gestampft, nur geschoben. Danach drückt man die Löcher seitlich zusammen. Je kühler es ist, um so länger dauert das Durchwachsen, unter Umständen drei bis vier Monate. Ist es längere Zeit trocken, muß gegossen werden, aber nie zuviel auf einmal, denn stehende Nässe schadet den Pilzgeflechten mehr als zeitweilige Dürre. Richtig ist eine Gießkanne auf vier Ballen, in voller Sonne alle drei Tage.
Freilandbeete legt man an geschützten, leicht schattigen Stellen des Gartens an. Es wird ein flacher Graben ausgehoben, der Aushub ringsherum als kleiner Wall abgelegt. Darin stapelt man das Stroh, am besten gehäckselt, etwa 30 cm hoch und fest eingestampft. Die Brut wird in 20 cm Abstand in walnußgroßen

Häufchen über die ganze Fläche verteilt, ehe die letzte Strohlage aufgelegt und festgetreten wird. Bis das Stroh durchwachsen ist, hält man es unter Folie um 25 Grad warm. Darunter kann der Pilz in ein bis zwei Monaten durchgewachsen sein. Dann wird 4 bis 6 cm hoch Deckerde aufgetragen und behutsam feucht gehalten. Nach einem Monat beginnt die Ernte und hält stoßweise im Abstand von zwei bis drei Wochen mehrere Monate an. Dabei ergeben sich bis zu 2 kg/m^2 Pilze pro Schub; die dicksten Einzelstücke können bis zu 1 kg schwer sein. Sie werden herausgedreht, sobald die Haut unter dem Hut einreißt. Der Pilzkopf soll noch halbkugelig sein, keineswegs flach; schon gar nicht sollte die Unterseite nach oben gekehrt sein.

Austernseitling. Der Seitling ist ursprünglich ein holzbewohnender Pilz, der in abgestorbenen Ästen lebt. Aber im Garten ist es ebenso möglich, ihn in Strohballen wachsen zu lassen. Dafür braucht man frisches, gehäckseltes Weizenstroh, das gewässert und zwei Stunden lang gekocht wird. Oder man stopft es in einen großen Plastiksack und füllt soviel Wasser ein, daß es bedeckt ist. So bleibt es drei bis vier Wochen stehen. Es muß nur darauf geachtet werden, daß es nicht ausläuft oder unter dem Druck der entstehenden Gase aufgetrieben wird. Das läßt sich verhindern, indem man ein Rohr hineinsteckt, bevor die Folie oben zugebunden wird. Bevor das Stroh mit der körnigen oder zerbröckelten Pilzbrut durchmischt und in die Behälter gefüllt wird, muß es gründlich abtropfen. Dazu eignen sich Kisten oder Plastiksäcke, die ringsum durchlöchert werden, damit genug Luft an das bei 15 bis 25 Grad wachsende Pilzgeflecht kommt. Der nach zwei bis drei Wochen entstehende kompakte Block wird an einer schattigen Stelle im Garten aufgestellt. Er sollte nicht zu groß bemessen sein, weil sonst leicht zu große Massen von Sporenkörpern herauswachsen. Falls bei der Ernte ganze Brocken des Geflechts herausbrechen, schneidet man die Stiele kurz ab. Nach einem Vierteljahr ist das Stroh ausgelaugt und kann im Garten untergegraben werden.

Shiitake. Der japanische Baumpilz ist nächst dem Champignon der am meisten und längsten kultivierte Speisepilz: in Fernost bereits seit 2500 Jahren, hier immerhin schon über 80 Jahre. Er schmeckt nicht nur hervorragend, sondern hat ähnlich dem Knoblauch einen hohen gesundheitlichen Wert. Die flachen, anfangs gewölbten, elegant welligen Hüte werden bis zu 15 cm breit, der Stiel mit knolligem Ansatz 10 cm lang und 2 cm dick. Der Anbau lohnt sich, denn eine Pilzmahlzeit von 1 kg kann im Handel bis zu 80 Mark kosten. Wie schnell die Laubholzäste durchwachsen sind, hängt davon ab, ob Hartholz von Eiche, Buche oder Kastanie oder weiche Birken-, Erlen- und Obstbaumäste gespickt werden. Sie sollen 1 bis 1,5 m lang sein und nicht dicker als 20 bis 25 cm. Damit sie schnell durchwachsen, sägt man sie von beiden Enden gleich weit entfernt von gegenüberliegenden Seiten aus ein, um die Brut in die Schlitze zu drücken. Danach wird Tesafilm darübergeklebt.
Während die Knüppel bei 15 bis 25 Grad durchwachsen, sollen 70 bis 80 Prozent relative Luftfeuchtigkeit herrschen. Deshalb legt man sie in den ersten vier Monaten dicht an dicht in den Schatten und deckt sie mit Folie, Säcken, Reisig, Stroh oder Laub ab. Bis das Holz ganz durchwachsen ist, können zwölf und mehr Monate vergehen. Danach nagelt man eine Stange auf zwei Pfähle, so daß die Knüppel in lichtem Schatten von beiden Seiten dagegengelehnt werden können. Wie lange es nun dauert, bis die ersten kleinen braunen Pünktchen auf der Rinde erscheinen, ist schwer zu sagen. Normalerweise rechnet man zehn bis 14 Tage vom ersten Ansatz bis zum ausgereiften Pilz. Er wird vom Holz getrennt, sobald die Sporen anfangen zu stäuben. Das geschieht in kürzeren und längeren Abständen, die großenteils vom Wetter bestimmt werden. Die Pausen können

bis zu vier Wochen dauern. Wenn es schneller gehen soll, stampft man die Äste mehrmals auf den Boden auf.

Stockschwämmchen. Noch nicht ganz so lange, aber auch schon Jahrzehnte ist die Brut dieser Pilzzwerge im Handel. Sie liefern von Mai bis November große Mengen hervorragend schmeckender Speisepilze. Ihre Hütchen sind kaum 5 cm breit, die Stiele fadendünn und kurz, aber sie wachsen rasenartig so dicht nebeneinander, daß es sich zu ernten lohnt. Allerdings muß man in Kauf nehmen, so meint ein renommierter Pilzbruthändler, daß es ein bis drei Jahre dauern kann, ehe das Pilzgeflecht die mindestens 20 cm dicken, knapp halbmeterlangen Laubholzstämme durchwachsen hat. Sie können den ganzen Sommer über, von März bis September, gespickt werden. Als Brut haben sich durchwachsene Getreidekörner durchgesetzt, die wie Shiitake in Sägeschlitze, Bohrlöcher oder einfach auf das Stirnholz gelegt werden, auf das eine Scheibe Stammholz genagelt wird.
Solange sie durchwachsen, werden sie unter Stroh oder Folie feuchtgehalten, ohne die Luftzufuhr völlig abzuschneiden. Plastikbeutel um einzelne Stammstücke müssen deshalb durchlöchert sein. Während der heißen Erntezeit brauchen sie eine Menge Wasser und eine relative Luftfeuchtigkeit von 90 Prozent. Deshalb ist es besser, sie für die Dauer unter Folie abgedeckt zu halten, zumal das Schädlinge fernhält. Im übrigen verläuft die Kultur ähnlich wie beim Austernseitling (s. S. 122).

Südlicher Schwindling. Seit mehr als zehn Jahren gibt es Brut dieser Holzpilze im Handel. Ursprünglich hat man die Zucht auf Pappelholz empfohlen, wie das am Mittelmeer in großem Umfang geschieht. Doch die Bodenbiologen der Bundesforschungsanstalt in Völkenrode fanden heraus, daß der Pilz »recht gut« auch auf Stroh und anderen Pflanzenreststoffen wächst.

Dazu hebt man im Gemüsegarten ein halbschattiges Beet 20 cm tief aus und füllt es mit gehäckseltem Gerstenstroh sowie Pappelzweigen aus dem Shredder. Das Substrat wird im April oder Mai gespickt und mit Folie überzogen, so daß der Mulm feucht bleibt. Pappeläste brauchen ein Jahr, bis sie ganz durchwachsen sind. Erst im nächsten Frühjahr beginnt die Ernte. Auf Beeten geht es schneller. Die Folie wird abgezogen, wenn zu sehen ist, daß die Pilzgeflechte ausgewachsen sind. Von da an schützt sie eine Sandschicht vor dem Austrocknen. Der Pilz wird rund 7 cm hoch und breit auf zentimeterdickem Stiel.

Schwindlinge. Der Nelkenschwindling wächst sogar wild auf dem Rasen. Er wird auch Kreisling genannt wegen seiner Neigung, in sogenannten »Hexenringen« zu wachsen. Die Sporenkörper erscheinen dort zwischen Mai und September und bringen, obwohl nur die dünnen Hüte verzehrbar sind, wegen ihrer großen Zahl eine reichliche Zugabe zu zahlreichen Gerichten, frisch, getrocknet und pulverisiert zum Würzen. Nach dem Krieg konnte man die Brut im Fachhandel bekommen und unter Obstbäumen streifenweise flach unter der Grasnarbe auslegen. Sie wachsen besonders dauerhaft in einem Substrat, das aus Rindenhumus oder holzreichem Kompost, wie er heute mit den Gartenhäckslern verbreitet hergestellt wird, mit getrocknetem Kuhdung gemischt wird.
Ebenfalls als Pilzgewürz wird der Knoblauchpilz oder Küchenschwindling zubereitet, da er als Pulver zerrieben lange seinen kräftigen Duft behält. In der freien Natur wächst er vom Sommer bis zum Herbst fast rasenartig auf verrottendem Holz in der Erde. Es ist wiederholt vorgekommen, daß ein Pilz in Humus wie auf morschem Holz gleichermaßen gut gedeiht. Trotz der riesigen Zahl wird es nicht zuviel bei der Ernte, denn die Stengel sind fadenförmig dünn, nur 1 bis 2 mm dick, und der Hut 1 bis 3 cm breit.

Tintlinge. Der Spargelpilz oder Schopftintling findet sich auf dem Rasen ebenfalls manchmal ein, ein Schmuck mit den schneeweißen Fingerhüten, den man bei der Anlage mit unterbringen kann. Pilzbrut kann auch für intensive Kultur auf reinen Kompostbeeten von Juni bis September verteilt werden. Häufig finden sich Tintlinge büschelweise auf Kompost- oder Schuttplätzen von selbst ein. Aber man ist nicht auf diesen Zufall angewiesen, wenn man die Sporen über humus- und nährstoffreiche Abfälle fließen läßt. Schon das Pilzwaschwasser hilft sie verbreiten. Das zarte weiße Fleisch der jungen, bis zu 15 cm hohen und 6 cm breiten Pilze ist äußerst schmackhaft, bevor es schwärzlich zerläuft. Man sollte allerdings keinen Kaffee oder Alkohol dazu trinken.

Riesenschirmling. Unter dem Namen Parasol ist dieser riesige Hutpilz, der bis 40 cm hoch wird und 30 cm Hutdurchmesser erreicht, überall bekannt. Weniger vertraut ist die Tatsache, daß dieser Edelpilz ausgezeichnet schmeckt. Mit der Brutherstellung wird schon so lange experimentiert, daß seit Kriegstagen gewerblicher Nachwuchs verfügbar ist. Wer einen Ansatz bekommen hat, kann eigene Versuche mit intensivem Anbau auf Kompost machen. Gut gelingt das, wenn die Putzabfälle des Pilzes auf dem Kompost verteilt und eine gute Lage Humus darauf ausgebreitet wird. Den davon durchwachsenen Kompost kann man dann vorsichtig im Wurzelbereich auf der Südseite von Fichtengehölzen auf humosem Sand auslegen und Nadelstreu darüberkrümeln. Dort erhebt sich der Pilz stolz und attraktiv von Juli bis Oktober.